Mariola Pryzwan

ANNA GERMAN O SOBIE

Wydawnictwo oraz Autorka składają serdeczne podziękowania Zbigniewowi Tucholskiemu za udostępnienie zdjęć i dokumentów z archiwum rodzinnego.

ISBN: 978-83-7779-146-2

Projekt okładki, skład, łamanie: Zuzanna Malinowska
Zdjęcie na okładce: Zofia Nasierowska

Opracowanie redakcyjne: Dorota Koman
Indeks: Mateusz Szmigiero

www.wydawnictwomg.pl
kontakt@wydawnictwomg.pl

Drukarnia Wydawnicza im. W.L. Anczyca
30-011 Kraków, ul. Wrocławska 53

Dystrybucja: Grupa A5 sp. z o.o.
92-101 Łódź, ul. Krokusowa 1-3
tel./fax: (042) 676 49 29
e-mail: handlowy@grupaA5.com.pl

Panu Zbigniewowi Tucholskiemu

SŁOWO WSTĘPNE

Była zjawiskiem muzycznym. Wielką gwiazdą polskiej piosenki lat sześćdziesiątych.

25 sierpnia 2012 roku minie trzydziesta rocznica jej śmierci.

Pozostały piosenki, wśród nich te najpopularniejsze: *Tańczące Eurydyki*, *Człowieczy los*, *Dziękuję, mamo, Być może* czy *Bal u Posejdona*.

Pozostał głos o niepowtarzalnej barwie. Głos, za którym tęsknią miliony wielbicieli Anny German w Polsce, we Włoszech, w Japonii i krajach byłego Związku Radzieckiego.

W Polsce Anna German była znana przede wszystkim jako niezrównana interpretatorka piosenek nastrojowych, ale jej bogaty repertuar zawiera także utwory rytmiczne, pogodne, a nawet humorystyczne. Anna dobrze czuła się w polskiej piosence lirycznej i w rosyjskim romansie, w ludowej melodii neapolitańskiej i w arii Scarlattiego...

Nie lubiła mówić o sobie, tym cenniejsze są jej wypowiedzi rozproszone w audycjach radiowych oraz w prasie polskiej, radzieckiej i włoskiej. One tworzą tę książkę, która – poszerzona o prywatne, często nieznane fotografie i publikowane po raz pierwszy dokumenty – daje swego rodzaju autobiografię Anny German.

Znaczna część materiałów pochodzi z archiwum męża piosenkarki, pana Zbigniewa Tucholskiego, któremu składam serdeczne podziękowania za ich udostępnienie.

Dziękuję również nieocenionej redaktorce tej książki, mojej przyjaciółce, Dorocie Koman.

Jerzy Waldorff powiedział kiedyś: „Cenię Annę German za liryzm tkwiący w samej materii jej głosu jasnego, chłodnego i słodkiego zarazem, a prowadzonego z dźwięku na dźwięk uchem tak czujnym, jak bywa u doskonałych skrzypków".

Nie pozostaje mi nic innego, jak zapowiedzieć: Anna German o sobie!

Mariola Pryzwan
Warszawa, 20.05.2012 r.

Motto:
Dla mnie żyć to śpiewać.

(„Zarzewie", 1973)

Rodzice Anny – Irma i Eugeniusz.

Ania z rodzicami i babcią, Urgencz 1936.

Ania z matką, Taszkient, grudzień 1937.

Z babcią, mamą i młodszym braciszkiem Fryderykiem.

O DZIECIŃSTWIE

Sąd Powiatowy w e Wrocławiu

prawomocnym postanowieniem

z dnia 23.8.51. Nr 17495/31

na podstawie dekretu

z dnia 22. X. 1947 r. (Dz. U. R. P. Nr 65 poz. ....) ustalił
następująca treść:

POLSKA RZECZPOSPOLITA LUDOWA

Województwo .... **ŁODŹ**

Powiat

URZĄD STANU CYWILNEGO w .... Łódź—Śródmieście

Nr 142845/u/51   Łódz   , dnia 1.12. 1951 r.

Odpis zupełny aktu urodzenia

I. DANE DOTYCZĄCE DZIECKA:

1. Nazwisko   German

2. Imię (imiona) Anna Wiktoria 3. Płeć żeńska

4. Data urodzenia czternastego lutego tysiąc dziewięćset trzydziestego szóstego (14. 2. 1936) roku

5. Miejsce urodzenia Urgencz

II. DANE DOTYCZĄCE RODZICÓW:

	Ojciec	Matka
1. Nazwisko	German	German
2. Imię	Eugeniusz	Anna
3. Nazwisko rodowe matki	XXXXXXXXXXXXXXX	Martens
4. Zawód	buchalter	
5. Data lub rok urodzenia		
6. Miejsce urodzenia		
7. Miejsce zamieszkania w chwili urodzenia dziecka	Urgencz	Urgencz

Urodziłam się w odległym mieście Azji Środkowej [w Urgenczu w Uzbekistanie]. Dzieciństwo spędziłam w Urgenczu i Dżambule. Tam zaczęłam chodzić do szkoły. W pamięci zachowałam smutny obraz, jakieś okruchy dalekich wspomnień: ja z babcią pośród uzbeckich glinianych uliczek, a nad nami ogromne, rozżarzone słońce.

Moja rodzina wywodzi się ze starego holenderskiego rodu osiadłego w Rosji.

W naszym domu mówiło się w kilku językach. Z rówieśnikami rozmawiałam po rosyjsku, chodziłam do radzieckiej szkoły i pierwsze piosenki, które zaśpiewałam, też były rosyjskie.

(Z wywiadu dla prasy radzieckiej, 1972)

Ilekroć przychodzili do nas goście, mama prosiła, bym zaśpiewała dla nich. Sprawiało mi to przyjemność, ale ciekawsze były występy w szkole w czasie różnych uroczystości. Bałam się i denerwowałam, więc wychodziło gorzej niż powinno.

Mój ówczesny repertuar zależał od święta – były więc piosenki o choince, o matce, o ojczyźnie…

(Z wywiadu dla prasy radzieckiej, 1980)

Przyrzeczenie studenckie

„Jako student Polski Ludowej sumiennie wypełniać będę swoje obowiązki, uczynię wszystko, aby w przepisanym terminie ukończyć studia, będę strzec godności studenta i nie przyniosę ujmy dobremu imieniu uczelni, jak również będę przestrzegać dyscypliny pracy i wszelkich zarządzeń władzy ludowej oraz obowiązujących przepisów szkoły".

Wrocław, dnia 29. X 19 55 r.   German Anna.
Miejscowość   Podpis

Wzór Sw 5 CWD, W-wa, Bielańska 18, zam. Nr 3868 Bz
SZPT Świecie 1077 8 55 37500 Piśmienny E-4-6-786

Anna German
Nazwisko i imię

Wykonał pracę dyplomową:

na temat Budowa geologiczna okolic Zatonia

z oceną bardzo dobrą

Data 19. 1. 1962.

pieczęć   Podpis profesora

Złożył egzamin dyplomowy

z wynikiem bardzo dobrym

w dniu 23 stycznia 1962 r.

Członkowie komisji

pieczęć

Dyplom Nr 902

ukończenia studiów wyższych
wydano

Ob. German Anna
Nazwisko i imię

i nadano mu tytuł

magistra - geologii

Data

Dziekan Wydziału Nauk Przyrodniczych
Uniwersytetu Wrocławskiego
im. Bolesława Bieruta

Uniwersytet Wrocławski im. Bolesława Bieruta

DYPLOM

UKOŃCZENIA STUDIÓW WYŻSZYCH

Anna Wiktoria GERMAN

urodzon*a* dnia ......*14 lutego*...... 19*36* r.

w ...*Urgenczu*...... *ZSRR*

odbył*a* studia na Wydziale *Nauk Przyrodniczych*

w latach 1955/56 - 1960/61

przedstawił*a* pracę magisterską na temat: *Zdjęcie*

geologiczne okolic Zatonia (Ustronie).

ocenioną jako *bardzo dobrą*

i po złożeniu egzaminu magisterskiego z wynikiem *bardzo dobrym*

uzyskał*a* w dniu *23 stycznia* 196*2* niniejszy dyplom

magistra geologii

Rektor

Dziekan

Nr *902*

WROCŁAW, dnia *25 kwietnia* 196*2* r.

CWD-Sw-175, zam 6446/PWH.Bs   GrZ.Graf. 3384-19.11.60-Rz-17/781-18.690-karton 240

O GEOLOGII, TEATRZE STUDENCKIM KALAMBUR, ESTRADZIE WROCŁAWSKIEJ I RZESZOWSKIEJ

Z kolegami ze studiów.

Ukończyłam Wydział Geologii na Uniwersytecie Wrocławskim, ale wstępując nań, kierowałam się tak zwanym zdrowym rozsądkiem. Mimo zainteresowań malarstwem, rzeźbą, metaloplastyką czy ceramiką artystyczną wiedziałam, że muszę wybrać zawód konkretny, który w przyszłości zapewni mi byt. Nie mam rodzeństwa ani krewnych, na których pomoc w nieprzewidzianych trudnych sytuacjach życiowych mogłabym liczyć.

Chociaż ani dnia nie pracowałam w swoim zawodzie, lat studiów nie traktuję jako czasu straconego. Przeciwnie, uważam, że inne studia, przydatne dla mnie teraz bardziej, jak muzyka czy nawet malarstwo, nie wzbogaciłyby mego światopoglądu tak, jak geologia.

(„Gospodyni", 1976)

Z Janeczką Wilk w Giżycku.

Jestem wprawdzie magistrem geologii, ale najlepsze rezultaty w kartowaniu terenu osiągałam tylko wtedy, gdy zamieniając młotek na instrument perkusyjny, podśpiewywałam sobie różne melodie i piosenki. Charakter piosenek uzależniony był najczęściej od ciężaru torby geologicznej wypełnionej próbkami skał.

Miałam trochę nieczyste sumienie z powodu geologii, ale profesor Bardini rozwiał te wątpliwości: Geologia niedużo traci, a piosenka może zyskać – powiedział.

Czytam pilnie o wszystkich odkryciach… geologicznych, ale palców w tym nie maczam – pozostaję wierna piosence.

(„Jazz", 1964)

Śpiewałam jakąś piosenkę na wieczorze poetyckim. Byłam wówczas na czwartym albo piątym roku studiów geologicznych. Przy mojej awersji do matematyki nie zanosiło się, że będę dobrym geologiem. Już wtedy chciałam poświęcić się piosence i propozycja Bogusława Litwińca, reżysera i dyrektora wrocławskiego Kalamburu, abym wstąpiła do zespołu, bardzo mi odpowiadała. Byłam jednak w Kalamburze niedługo. Śpiewałam tam dwie ballady, chyba ze słowami Litwińca i – jak sobie dzisiaj ze zdziwieniem przypominam – z moją muzyką [program *Po ulicach miasta chodzi moja miłość*]. Nie bardzo mogłam połączyć nocne, dosyć intensywne i męczące próby z pracą magisterską, którą wtedy kończyłam. Musiałam, niestety, zrezygnować z pracy w zespole.

Chociaż byłam krótko w Kalamburze, mogę powiedzieć, że była to doskonała szkoła. Po wstąpieniu do zespołu trafiłam do ludzi o odmiennych zainteresowaniach niż zainteresowania przeciętnego geologa, nawet o innej mentalności. Trzeba było tych ludzi zrozumieć, przystosować się do nich, polubić i umieć współżyć – a to jest bardzo ważne.

("Scena", 1970)

"Pod presją" przyjaciółki [Janiny Wilk], zaciągnięta przez nią niemal za uszy, udałam się na przesłuchanie do Estrady Wrocławskiej, gdzie na okres wakacji zostałam przyjęta do montującego się programu. Z nim ruszyłam w Polskę. Później, ale dopiero po ukończeniu studiów magisterskich, zdobyłam uprawnienia estradowe, złożywszy egzamin przed Komisją Weryfikacyjną Ministerstwa Kultury i Sztuki.

("Gospodyni", 1976)

Wstyd się przyznać, ale pierwszy raz oblałam. Byłam dobrze przygotowana, ale zjadła mnie trema. Drugi raz poszło mi świetnie.

("Zarzewie", 1973)

Zaczęłam "terminować" w Estradzie Rzeszowskiej, jeżdżąc do najodleglejszych zakątków województwa rzeszowskiego, gdzie gościnnie częstowano nas zsiadłym mlekiem i świeżutkim chlebem razowym.

("Gospodyni", 1976)

Legalnie jestem piosenkarką od 1962 roku, kiedy zdałam egzamin eksternistyczny. Byłam geologiem, który śpiewał i czuł się winny, że nie jest geologiem w praktyce.

Po egzaminie byłam pewniejsza. Miałam papier, który upoważniał mnie do występowania na scenie. W moim stosunku do śpiewania nic się nie zmieniło po egzaminie. Traktowałam to zajęcie zawsze równie poważnie. Nie znikła ani nawet nie zmniejszyła się trema, która mnie zawsze obezwładnia.

W czasie pobytu w Kalamburze i później, kiedy występowałam w Estradzie, uczyłam się – szczególnie w doli i niedoli – występów w terenie, które są naprawdę trudne. Kiedy popełniałam jakiś błąd, mogłam liczyć na pomoc. Był mi także potrzebny kontakt ze sceną, z żywymi ludźmi.

Jeśli chodzi o muzykalność, to pobyt w zespole nie miał specjalnego znaczenia, bo umiejętność panowania nad głosem miałam. I tak, jak nie fałszuję dzisiaj, tak nie fałszowałam wtedy, ale potrzebny i ważny był ten kontakt z ludźmi. Nie można przecież tworzyć dla siebie, w domu, dla grona rodzinnego. Piosenkarza musi sprawdzić szersza publiczność.

Moje umiejętności w czasie tamtych objazdów sprawdzali słuchacze. Oni pierwsi zaakceptowali [Tańczące] Eurydyki, później dopiero poznała i przyjęła tę i inne piosenki Warszawa, a potem były festiwale.

(„Scena", 1970)

Mój debiut nie należał do udanych. Na festiwalu studenckim w Krakowie [I Ogólnopolskim Festiwalu Kultury Studentów] zapomniałam z wrażenia słów piosenki i tak się zdenerwowałam, że postanowiłam nie wracać do śpiewu!

Jak widać – można uciec od sceny, ale nie od przeznaczenia.

(Z wywiadu dla prasy radzieckiej, 1980)

LEGITYMACJA

STUDENCKA

13296

Nr albumu

Pieczęć
okrągła
szkoły

Anna German

(podpis właściciela legitymacji)

(imię i nazwisko)

zamieszkał a, w c *Wrocławiu*

ul. Trzebnicka 51/15

jest studentem **UNIWERSYTET WROCŁAWSKI**

Wydział Nauk Przyrodniczych

Wrocław, *pl. Uniwersytecki 1*

17. XII. 1959

data

podpis wystawcy

W-76 CWD Bydgoszcz zam. 3871/Bz

W programie Estrady Rzeszowskiej *Świt nad Afryką*.

LISTY DO PIOTRA WOJCIECHOWSKIEGO

Raciborowice 20 VIII [19]58 r.
(przed śniadaniem!)

My dear Friend!
Mio caro amico!

Piotruś, jesteś naprawdę bardzo miły. Nie spodziewałam się tego. Dlatego też tym większe było wzruszenie, gdy otrzymałam Twój drugi, długi list.

Będzie z Ciebie prawdziwy geolog (geolodzy są podobno braćmi poetów), albowiem opisy Twoich wrażeń są barwne i bardzo plastyczne, mimo że troszeczkę nieczytelne. Ale to nic, bo im dłużej siedzę nad Twoim listem, tym większą mam przyjemność. W przyszłym roku pojadę też. Zobaczysz! W ciągu zimy wezmę się ostro do angielskiego i włoskiego, a w lecie, gdy Piotruś będzie miał wczasy ku chwale ojczyzny, ja pojadę w ciepłe kraje. Jeżeli można będzie, to do Włoch! A potem będę do Ciebie też pisała, zwłaszcza o ludziach, dobrze? A ponieważ życie w koszarach nie jest podobno zbyt barwne, będę Ci przysyłała listy w białych kopertach z bardzo kolorowymi znaczkami. Jednym słowem, moja wysokość Anna-Victoria [drugie imię Anny] będzie

Na praktykach studenckich.

Piotruś, jestem już w domu.
Chciałam Ci ten list wysłać do Jerzmanic,
ale nie byłam pewna, czy tam jesteś.
Siedź teraz w domu i nerz się. Albo może
gdzieś pojadę, bo nie lubisz być w domu.
Napisz mi coś, dobre? Chciałabym czytać
nie tylko o skamieniałościach. Ja Ci też
napiszę (podaj adres). To będzie ciekawa
zabawa, bo ja się postaram napisać
po angielsku lub po włosku.
Jak wolisz? Albo powiedzmy na początku
może tylko pojedyncze zdania, coś
ciekawego? dobre? Bo jeślibym od Ciebie
teraz otrzymała list po angielsku
to obawiam się, że odczytowanie, przetłumaczenie i zrozumienie Twego listu
trwałoby troszeczkę za długo.

Mr Piotr Wojciechowski
Jerzmanice-Zdrój
Poczta Złotoryja
pow. Złotoryja
(praktykanci z miotkami)

pamiętała o Piotrusiu. Aha, jeszcze jedną sprawę, minioną co prawda, chciałam poruszyć. Otóż bardzo żałuję, że nie spróbowałam wtedy wrocławskiej kawy. Nie wątpię, że byłoby bardzo przyjemnie. Moglibyśmy na przykład nawet nie mówić, tylko szkicować bliźnich… no, ale bałam się, że ludzie, jak zawsze, swym dowcipem nie na miejscu zepsują nam humor. A z drugiej strony znów doszłam do wniosku, że jeżeli księżna Gracja Patrycja może sobie pozwolić na mniejszego od siebie księcia, to ja mogłam pójść z kolegą do kawiarni. Prawda? No, ale jeżeli (albo powiedzmy „kiedy") zdam stratygrafię, ośmielę się Ciebie poprosić, dobrze?

Siedzimy teraz w Raciborowicach. Jest tu ogromny kamieniołom (wapienia muszlowego!!) zalany wodą. Cudowny widok! Byliśmy już kiedyś w podobnym kamieniołomie, tylko nie pamiętam gdzie. Tam były granity i Ty pływałeś żabką. Może pamiętasz? Wczoraj poszliśmy się kąpać, nawiasem mówiąc, bardzo się opaliłam. Ale daleko odpłynąć nie mogłam, bo miałam niesamowicie przeładowany żołądek. Wiesz, wszędzie po drodze znajdujemy coś do jedzenia, a ponieważ silnej woli nie mamy, więc są rezultaty. Wróciłam przed chwilką z terenu. Po godzinie naszych modłów o deszcz Zeus się zdenerwował. Zagrzmiało, zabłysło i lunął deszcz.

Zdążyłam jeszcze spostrzec, że wszyscy pospiesznie oddalili się ode mnie… Później z zażenowaniem tłumaczyli, że fizyka, że… Sujak, że piorunochron itd. Przyjaciele, co? Czy tak bywało?

Piotruś, Lusia [Janina Maj (obecnie Niśkiewicz), koleżanka z roku] woła na obiad, więc lecę.

Serdeczne pozdrowienia
Ania

Piotruś, jestem już w domu.

Chciałam Ci ten list wysłać do Jerzmanic, ale nie byłam pewna, czy tam jesteś. Siedzę teraz w domu i uczę się. Albo może gdzieś pojadę, bo nie lubię być w domu. Napisz mi coś, dobrze? Chciałabym czytać nie tylko o skamieniałościach. Ja Ci też napiszę (podaj adres). To będzie ciekawa zabawa, bo ja się postaram napisać po angielsku lub po włosku. Jak wolisz? Albo, powiedzmy, na początek może tylko pojedyncze zdania, coś ciekawszego, dobrze? Bo jeślibym od Ciebie teraz otrzymała list po angielsku, to obawiam się, że odcyfrowanie, przetłumaczenie i zrozumienie Twego listu trwałoby troszeczkę za długo. (…)

Wczoraj widziałam film produkcji amerykańskiej *Cyrano de Bergerac*. Jedyną rzeczą, którą zapamiętałam, jest imponujący nos głównego bohatera. Postać raczej mała, tylko nos miał w siedmiokrotnym powiększeniu. To straszne! Pomyślałam sobie, że już lepiej mieć całość w większym wydaniu, no nie? Czyli ten film powinien zniszczyć mój kompleks. Zobaczymy.

Czekam jeszcze na *Dzwonnika* [*Dzwonnika z Notre-Dame*].

Pędzę teraz na *Kuriera carskiego*.

       Serdeczne pozdrowienia
       Ania

       PS Mam dla Ciebie niespodziankę.

LISTY
DO JANA S. SKĄPSKIEGO

Wrocław, 12 X [19]60 r.

Jasiu!

Dziękuję za ciąg dalszy.

Ale co to za nastrój?! Gdzie się podziała Twoja pewność siebie (chwilowo, oczywiście), chłodek zaprawiony cynizmem i te rzeczy? Stajesz się sentymentalny czy co…

„Liście jesienne… muzyka… wiatr i deszcz…". Niedobrze. Jedynym lekarstwem na takowy stan duszy mogą być słowa pana Heraklita z Efezu. Przypomnij sobie, a przestaniesz czekać nawet na wiosnę. Każda wiosna mija. To już moje genialne stwierdzenie!

Z przyjemnością nawiązałabym kontakt z jakąś zagraniczną dziewczyną lubiącą piosenki, gdybym była dokładniej poinformowana o Twoim guście. (Sprawa już raz poruszana). Jeżeli chodzi Ci tylko o piosenki (Nie wierzę piosence…), to mogę Ci podać kilka adresów natychmiast, jeżeli natomiast… itd. – bądź łaskaw sprecyzować wymagania.

Byłam wczoraj w Gubinie na tak zwanej chałturze z dziewięcioosobowym zespołem. Oczywiście z tercetem. Wyjechaliśmy o 9.30, a wróciłam o 6.00 rano dnia następnego. Było wesoło, bo w jednej stonce [żartobliwa nazwa autobusu] jechały dwa zespoły, w tym mnóstwo tak zwanych głosów z opery. No i oczywiście tak jak chorzy informują bliźnich o swej chorobie – tak oni mówili tylko i wyłącznie o scenie, kawałach wzajemnie urządzanych, no i oczywiście zajęto się również statystyką. Chodziło o ustalenie % składu zespołu z uwzględnieniem (szczególnym) pederastii. Szokujące! (…)

Jasiu, chciałabym bardzo napisać Ci coś przyjemnego w związku z tą Twoją chandrą – ale jak już pisałam – nie wiem, nie wiem… Doceń przynajmniej, albo nie – zauważ, samą chęć, dobrze? Może zresztą j u ż jest wszystko w porządku. Wiesz, pomyślałam sobie wczoraj, że listy, na które tak niecierpliwie czekamy, są przecież zawsze spóźnione… Tak jak gazety zawierające wiadomości sprzed tygodnia.

Każdy list – to już przeszłość. Ale to tak na marginesie. Do widzenia, życzę du-użo dobrego.

Ania

Wrocław, 12.V.60r.

Jasiu!

Dziękuję za ciąg dalszy.
Ale co to za nastrój?! Gdzie się podziała
Twoja pewność siebie (chwilowo, oczywiście.)
chłodek zaprawiony cynizmem i te nerwy...
Stajesz się sentymentalny, ech co...
liście jesienne... muzyka... wiatr i deszcz...
"Niedobre. Jedynym lekarstwem na takowy
stan ducha mogą być słowa pana Heraklita
z Efezu. Przypomnij sobie, a przestaniesz
czekać nawet na wiosnę, każda wiosna mija.
To już moje genialne stwierdzenie!
— Z przyjemnością nawiązałabym kontakt
z jakąś zagraniczną drukarnią lubiącą
piosenki, gdybym była dokładniej poinformowana o Twoim guście. (Sprawa już
raz poruszona) Jeżeli chodzi Ci tylko
o piosenki (Nie wiem piosence...) to mogę
Ci podać kilka adresów natychmiast
jeżeli natomiast ... itd. — bądź łaskaw
sprecyzować wymagania.
Byłam wczoraj w Gubinie na tzw.
chałturze z 9 osobowym zespołem.
Oczywiście z teatrem. Wyjechaliśmy
o 9³⁰ a wróciłam o 6⁰⁰ rano dnia
następnego. Było wesoło, bo w jednej
stronie odjechały 2 zespoły

w tym - mnóstwo tzw. głosów z opery.
No i artyniście tak jak chory informuje bliźnich o swej chorobie - tak
oni mówili tylko i wyłącznie o scenie,
kawałach wzajemnie uwzdrawnych, no
i artyniście zajęło się własną statystyką.
Chodziło o ustalenie % swiadw respo-
Tu z uwzględnieniem (szczególnym) pederastii. Srokujsie!
Po występie nakarmiono nas i nie tylko
Przy "okazji" Olejnik zapragnęli nagle
wypić ze mną bruderszaft. Udałam zupeł-
nego tumana - no i w rezultacie nie byłam
w stanie domyślić się o co nu chodzi.
On mrumniał, że ja nie chcę zrozumieć
i było jakoś nieprzyjemnie, nawet bardzo
No, ale powiedz z jakiej racji ja się mam
upzcryć mówiąc mu ty ? Przecież nic
nas nie łączy - natomiast dzieli - wszystko
No nie? Czy należało uczynić zadość;
rycernuu i uniknąć bezposredniego
zwracania się, co? Ale mam proBLEM!
Jasiu, chciałabym bardzo napisać
Ci coś przyjemnego w związku z Tą Twoją
chandrą - ale jak już pisałam - nie
wiem, nie wiem ... Doceń przynajmniej
albo nie - zawsze - samą chęć, dobrze?
Może zresztą już jest wszystko w porządku
Wiesz, pomyślałam sobie wczoraj, że listy
na które tak niecierpliwie czekamy są prze-
cie zawsze spóźnione ... Tak jak gdyby
zawierające wiadomości sprzed tygodnia.
Każdy list - to już przeszłość. Ale to tak
na marginesie. Dowidzenia, życzę
dwu-nru dobrego.
        Ania

Wrocław, 17 X [19]60 r.

Dobry wieczór, Jasiu!

Jak tam Kościuszko? [chodzi o kopiec Kościuszki] Nie zdążyłam go obejrzeć w czasie mego pierwszego pobytu w Krakowie, ale uczynię to niewątpliwie teraz!

Przyjeżdżam jeszcze raz w piątek wieczorem (pospiesznym), to znaczy 21 bm. Udało nam się wreszcie definitywnie ustalić termin egzaminu. Takie ryby (grube) wiecznie gdzieś fruwają.

Ucieszyłam się bardzo z odroczenia egzaminu, bo statystykę zaledwie liznęłam – a to czasami nie wystarcza! Więc zakuwam dalej jak dziki osioł.

Mój Boże, po wyjściu z AGH w sobotę zachowam się niewątpliwie bardzo podejrzanie albo wręcz podejrzanie – nieprzyzwoicie. Niewykluczone, że wyląduję w którymś z krakowskich komisariatów.

Studenci geologii na praktykach (Anna – pierwsza z lewej).

O, ale to nic – absolutorium nie robi się co drugi dzień – a nawet dość przeciwnie – bardzo rzadko. A zatem? No właśnie. Będzie to przebłysk tłumionego (nie wiem w imię czego) temperamentu.

Domyślam się Twego komentarza.

Herbata zielona jest nadal (to znaczy jeszcze) aktualna, ale ja niestety nie wiem, w którym hotelu się zatrzymam. Więc abym Cię mogła tym razem zobaczyć, najprościej będzie, jeśli powitasz mocno wystraszoną z prowincji na dworcu. Muszę się jeszcze postarać o rekwizycik niezbędny przy tym egzaminie: biały kołnierzyk (pod szyję oczywiście) à la Baby.

Wiesz, a geofizykę znów zdawało się w dekolcie à la Sophia Loren...

Tak to bywa. Nasz geofizyk ma 50 lat, 11 dzieci a jednak popatrz... nie traci poczucia... humoru.

No, zjawiła się już cała grupa – więc zabieram się znów do ropy naftowej.

A więc, jeżeli nie będziesz zbytnio zajęty – do zobaczenia

Ania

Rzeszów, 28 XII 60

Dobry wieczór, Panie amatorze (od foto)!

Dziękuję za noworoczne życzenia i podobiznę. Milczenie jest podobno złotem... tak właśnie wytłumaczyłam sobie to „zjawisko". Zresztą, ja rozumiem, że jesteś na odpowiedzialnym stanowisku i w związku z tym nie masz czasu na wiele, wiele ważniejszych stokroć spraw.

Od 6 godzin jestem w Rzeszowie. Z grupą artystów pod przewodnictwem kier[ownika] artystycznego.

Mieszkam z pekińczykiem Czangiem, Mirą i Jadzią. Z drzemki (po całonocnej niezbyt wygodnej podróży) wybił mnie właśnie ów Czang – liżąc z czułością i b[ardzo] na mokro moje oblicze. Pomylił się co do „pańci".

Mira wyła z uwielbienia nad Jego inteligencją – ja zachowywałam się raczej z rezerwą.

Całe (moje) szczęście, że on nie szczeka. Właściwie rzadko, bo tylko na widok mężczyzny. O „to" tu raczej trudno, więc liczę na względny spokój.

No cóż, przeżyłam już pierwsze generalne pranie i sprzątanie pani Jadwigi...

Rysunek Anny dla Jana S. Skąpskiego.

Natychmiast po wkroczeniu do pokoju Jadzia stwierdziła z zadowoleniem, że to dobrze, że jest gorąca woda, bo najwyższy czas coś niecoś przeprać. Pięć minut po przyjściu na kaloryferze wisiały rękawiczki (do łokcia) + niebieskie figi z koronkami. (…)

Sądzę, że w najbliższej przyszłości nie skonam z braku wrażeń. Na razie mnie to jeszcze jako tako bawi.

Siedzimy tu do 21 stycznia, więc gdybyś przypadkiem miał dość złota – napisz coś. Zupełnie wszystko jedno co, byle nie zanadto abstrakcyjnie. Bo tę mam pod ręką codziennie.

Wybacz mi formę listu, ale to Rzeszów, a nie Sosnowiec, i trudno o papeterię i atrament „od zaraz".

A więc czekam

Ania

Z LISTÓW DO ZBIGNIEWA TUCHOLSKIEGO

Rzeszów, [V] 1962

Natychmiast po przyjeździe wpadłam w taki wir pracy, że dosłownie nie ma kiedy zaczerpnąć powietrza, (...) a program jak zwykle jest w proszku. (...) Na domiar urozmaicenia mieszkam z dziewczyną z Warszawy [Katarzyną Gärtner], która opracowuje to pod względem muzycznym i jest zagorzałą zwolenniczką (i nie tylko, co najgorsze!) ćwiczeń i w ogóle trybu życia jogów. (...) Siedzę na próbie. (...) Moja kolej będzie za jakieś 2–3 godziny, teraz ćwiczą panowie rewiowy numer. Jest czwórka w jasnych garniturach i melonikach z laseczkami. Dwóch z nich jest na bańce i w związku z tym reszta, to znaczy około 10 osób, leży już od dłuższej chwili nieprzytomna ze śmiechu.

Wrocław, 23 III 1963

A wiesz, jaki malutki jest pan Gert Jerzy? A jaki ważny?! (...) w czasie rozmowy wkręcił ni w pięć, ni w dziesięć, też bez cienia uśmiechu: Wie pani, miałem kiedyś taką sympatię jak pani wysoką, no i zawsze siedzieliśmy, bo tańczyć nie wypadało.

Cisza, więc ja z próbą uśmiechu na obliczu, ale też najzupełniej poważnie: No tak, bo wtedy nie było twista.

Olsztyn, 12 V 1963

[Jerzy Gert] (...) przy nagrywaniu twista był całkiem uśmiechnięty, a na pożegnanie powiedział, że gratuluje sukcesu, że tego nagrania [*Jesienna rozłąka*] nikt, nawet Warszawa, nie dostanie, i że jeszcze będziemy współpracować. Ucieszyłam się tak bardzo, bardzo, że nawet nie umiem powiedzieć jak! To jest cudowna rzecz śpiewać z orkiestrą symfoniczną – całe morze muzyki.

Anna German i Zbigniew Tucholski byli razem aż do śmierci Anny.

O TAŃCZĄCYCH EURYDYKACH I WSPÓŁPRACY Z KATARZYNĄ GÄRTNER

Z Katarzyną Gärtner.

Najmilej wspominam czasy współpracy z Estradą Rzeszowską. Dały mi obycie ze sceną i... znajomość z Kasią Gärtner, która zaczęła pisać dla mnie piosenki. Wtedy powstały właśnie *Tańczące Eurydyki* i – co ciekawe – z początku wcale się specjalnie nie podobały w wykonaniu estradowym. Dopiero zaśpiewane na Giełdzie Piosenki w kawiarni Ewa zyskały aplauz, a dobre nagranie z zespołem Romana Sadowskiego nadawane w programie radiowym zdobyło im tak ogromną popularność.

(„Panorama", 1971)

Dano mi jedną piosenkę *Tak mi z tym źle*. (...) Piosenka nie daje możliwości (zupełnie) pokazania głosu, b.[ardzo] smutna. Chodzi tu prawie wyłącznie o interpretację. Obiektywnie stwierdzam, że jest bardzo ładna, ale na festiwalu chciałabym zaśpiewać coś innego. (...) Sugerowałam *Tańczące Eurydyki*, ale odrzucono.

(Z listu do Jana Nagrabieckiego, 1963)

Miałam po prostu szczęście w *Tańczących Eurydykach*. Muzycznie ta piosenka bardzo mi „leżała", tekst – który jest raczej obrazem malowanym słowami lekko i pastelowo – bardzo się podobał, swą aranżacją pan [Jerzy] Herman ubrał *Eurydyki* w najładniejszą zwiewną tunikę, a całość zagrała doskonała orkiestra Stefana Rachonia [na festiwalu w Opolu].

(*Anna German,* Wróć do Sorrento?..., *1970*)

Piosenki Katarzyny Gärtner bardzo mi odpowiadają. Wiem, że na przykład *Tańczące Eurydyki* bardzo związały się z moim nazwiskiem.

Niektórzy mają mi za złe, kiedy próbuję śpiewać trochę w innym stylu, po prostu inaczej. A ja chciałabym poszerzyć nieco swój repertuar, śpiewać piosenki także w innych rytmach. Mam taką nową piosenkę, też Kasi Gärtner – *A jeżeli mnie pokochasz...*

Ileż dostałam listów protestacyjnych za to, że próbuję śpiewać rytmiczne piosenki...

(*„ltd", 1966*)

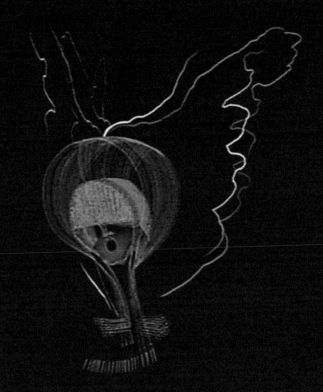

TAŃCZĄCE EURYDYKI

Festiwal im. Anny German
Zielona Góra 2007

Tańczące Eurydyki stały się znakiem
rozpoznawczym Anny German.

DYPLOM
HONOROWY

otrzymuje
piosenkarka

Anna German
POLSKA

za wykonanie utworu
KATARZYNY GAERTNER i EWY RZEMIENIECKIEJ
"TAŃCZĄCE EURYDYKI"
ktoremu przyznano
III *Miejsce*
w Dniu Międzynarodowym
na
Czwartym Międzynarodowym Festiwalu Piosenki
w SOPOCIE

w dniach: 6 - 14 sierpnia 1964 r.

Z wyrazami uznania
oraz podziękowanie
za cenny współudział
w imieniu
Komitetu Organizacyjnego

POLSKA AGENCJA ARTYSTYCZNA

„PAGART"

Telex N 10442
Telegraf: PAGART
Telefony: 60145
65766
61485
68555
61056
60995

Konto Bankowe:
NBP III O/M Nr 1527-6-108
Bank Handlowy Nr 13-140-4/263/1
Bank Handlowy Nr 13-140-4/263/2

Nr FP-3662/64

Warszawa, dnia 25 września 19 64
ul. Senatorska Nr 13/15

Sz.P.

Anna GERMAN

W r o c ł a w

Trzebnicka 5 m 15

MIĘDZYNARODOWY
FESTIWAL PIOSENKI

Szanowna Pani,

Na Czwartym Międzynarodowym Festiwalu Piosenki, wykonywała Pani piosenkę Katarzyny Gaertner i Ewy Rzemienieckiej p.t. "Tańczące Eurydyki".

Piosence tej Międzynarodowe Jury Festiwalu przyznało trzecią nagrodę w konkurencji "Dnia Międzynarodowego".

W związku z powyższym pozwalamy sobie złożyć Pani tą drogą gratulacje oraz serdeczne życzenia dalszych sukcesów.

Dyplom Honorowy załączamy do niniejszego.

Ludwik Kriekow
Sekretarz Festiwalu

FESTIVAL
INTERNATIONAL
DE LA CHANSON

МЕЖДУНАРОДНЫЙ
ФЕСТИВАЛЬ
ЭСТРАДНОЙ ПЕСНИ

INTERNATIONAL
FESTIVAL
OF LIGHT MUSIC SONGS

INTERNATIONALES
LIEDER – FESTIVAL

Universum zam. 287 nakł. 12.000 H-12

O ULUBIONYCH PIOSENKACH

Jakie lubię najbardziej i dlaczego? To zależy od aktualnego nastroju. Kiedy byłam w wesołym nastroju, tańczyłam z przyjaciółmi przy dźwiękach przebojów Niebiesko-Czarnych (zwłaszcza *Hej, dziewczyno, hej* i *Ciuciubabka*), choćby i całą noc. Okropnie lubiłam tańczyć. W chwilach zadumy – *Mały książę*, tylko w wykonaniu Kasi Sobczyk, oraz piosenki Toma Jonesa. A już kiedy groziła mi depresja – nastawiałam i nastawiałam longplay Starszych Panów. Jeśli nie pomogą najpiękniejsze przeboje zespołów mocnego uderzenia, rodzimych i obcych, pomogą z pewnością *Tanie dranie*, *Odrażający drab* i najpiękniejsza na świecie *Inwokacja* w mistrzowskim, niepowtarzalnym, jedynym wykonaniu pana Michnikowskiego.

Każda piosenka ma „trafioną" aranżację, że nie sposób zrobić lepszej. Głęboka filozofia zaaplikowana delikwentom, czyli słuchaczom, z figlarnym przymrużeniem oka powoduje właśnie to, że te piosenki „są dobre na wszystko". Jesteśmy ubawieni do łez, a jednocześnie wzruszeni.

(„Panorama", 1968)

Muszę o sobie powiedzieć: „Kobieta zmienną jest". Fascynują, interesują mnie ciągle nowe piosenki, właśnie te, które aktualnie opracowuję, które śpiewam. Oczywiście są też takie piosenki, do których chętnie wracam, jak *Dziękuję ci, moje serce* czy *Bal u Posejdona*.

(„Gospodyni", 1976)

To przychodzi i odchodzi – tak jak wszystko w życiu. Kocha się te najbardziej popularne, nowe, świeże. Oczywiście w pamięci zostają pewne piosenki, które od czasu do czasu przypominam, jak *Bal u Posejdona*, *Tańczące Eurydyki* czy *Jesteś moją miłością*, ale robię to tylko na życzenie słuchaczy.

Kiedy jestem w Związku Radzieckim, właśnie te piosenki muszę tradycyjnie bisować, gdyż są tam bardzo popularne, i choćbym nawet nie miała ich w programie, zawsze je wykonuję.

(„Panorama", 1975)

PIOSENKA, KTÓRĄ LUBIĘ...

Pani Annę German, znana jako jedna – jakby rzekł Lucjan Kydryński – z naszych „pierwszych dam piosenki" – jest z zawodu geologiem. W zawodzie tym jednak, ciekawym i wybieranym ongiś ze szczerego zamiłowania, nie pracowała ani jednego dnia. Zaczęła śpiewać w teatrzykach studenckich, jej debiutem ogólnopolskim była piosenka w „Podwieczorku przy mikrofonie", no a później kolejne sukcesy na festiwalach w Opolu i Sopocie zadecydowały, że pozostała na stałe przy piosence. Pierwszą piosenką pani Anny, która zyskała duży rozgłos był „Krzyk białych mew" (Sopot 1963), ale prawdziwy szał zaczął się od „Tańczących Eurydyk" Katarzyny Gaertner. Ta piosenka, bardzo trudna zarówno tekstowo, jak i muzycznie, będąca raczej bardziej pieśnią niż piosenką, budziła początkowo, przed jej pierwszymi nagraniami i wykonaniami estradowymi,

mnóstwo sprzeciwó[...] zwanych speców. [...] że piosenka zostanie [...] solutnie niekomun[...] dotrze do nagrań. [...] jednak jakoś prze[...] się bestsellerem. (T[...] wane raczej do u[...] kich, jest w tym [...] wiedniejsze, bo „E[...] się nazwać przeboje[...] senka, którą wszy[...] długiego czasu wcią[...] ale – nie nuci te[...] tak jak nuci klasy[...] nie śpiewa dotąd [...] poza Anną Germa[...]

– Ale już to się [...] dykami" interesują [...] zagraniczni. Będzie [...] nywał mężczyzna.

– Bardzo trudno [...] brazić. „Eurydyki" [...] właśnie z Pani g[...] podobny będzie los [...] su Katarzyny Gaer[...] tegorocznym festiw[...] piosenki „Zakwitnę[...]

– To się okaże po [...] właśnie śpiewam tę [...] razem nas, Polek, [...] cie (myślę o konkur[...] zwanym dniu płyto[...] wo mało. We dwie [...] będziemy musiały... [...] piosenki, co wcale n[...]

– Mnóstwo Pani [...] statnio po świecie z [...] ką, więc nie ma [...] przed „międzynarod[...]

– Rzeczywiście je[...] występowałam m. [...] w ZSRR (były to [...] we Francji, w NRD [...] zagranicą „Eurydyk[...] teraz zanosi się [...] cej podróży. Mam [...] ryżu w koncercie in[...] Moskwie, w Londy[...] Carlo, a jesienią [...] w USA.

trony tak
osiło się,
na za ab-
ną i nie
to się ją
ać i stała
vo, stoso-
v literac-
ku odpo-
" nie da
est to pio-
znają, od
ą słuchać,
bliczność,
rzebój. I
yk" nikt
y. „Eury-
osenkarze
et wyko-

obie wyo-
ą się nam
I chyba
go sukce-
Pani na
opolskim,
"

cie, gdzie
nkę. Tym
w Sopo-
nie o tak
wyjątko-
cją Prus
ć polskiej
t proste...
żowała o-
ą piosen-
a obawy
remą".
m sporo,
wukrotnie
tournées),
rałam też
płytę. Ale
cze wię-
pić w Pa-
yjnym, w
w Monte
opodobnie

Tekst — J. TYLCZYŃSKI
Muzyka — M. SART

— WŁAŚNIE DLATEGO

To nie był żart,
to nie był traf,
czas wrócił w przeszłość
tak jak słowa.
Dzieli nas gniew.
rozmowy strzęp, nie zaczniesz ty,
ani ja

od nowa.

Refren:

Właśnie dlatego,
że czekasz, że tęsknisz,
że jestem ci potrzebna,
że wierzysz w mój powrót,
że kochasz mnie niezmiennie.
Właśnie dlatego nie wrócę już.
właśnie dlatego, że słów nam
braknie,
że prawda gaśnie
nie wrócę już.
Co nam da żal,
nie liczmy lat,
czas procent płacił nam lichwiar-
ski.

Nie będzie łez,
życiu się też
nie poddasz ty ani ja
bez walki.

Refren:

Właśnie dlatego,
że czekam, że tęsknię,
że jesteś mi potrzebny,
że wierzę w twój powrót,
że kocham cię niezmiennie,
właśnie dlatego nie wrócę już,
właśnie dlatego,
że słów nam braknie,
że wola słabnie.
nie wrócę już,
nie wrócę już,
nie wrócę już.

O ARANŻACJI

Ze strachem zabieram głos na temat roli aranżacji w piosence, bo nie mam wykształcenia muzycznego i naukowo się do tego nie zabiorę. Może po prostu powiem, jak ja to czuję?

Aranżacja dla piosenki jest tym, czym suknia dla kobiety. Musi być dokładnie dopasowana do typu urody – pomagać, podkreślać, upiększać. Przeładowana ozdobami suknia często przynosi odwrotny efekt. Bardzo wyraźnie to widać (a raczej słychać) na przykładzie folkloru. Mam płyty z folklorem góralskim (naszym) i afrykańskim. Czasem melodie same w sobie są tak doskonałe, że nie potrzebują niczego, brzmią najlepiej bez wszelkiej oprawy muzycznej.

Moim zdaniem – najlepiej, jeśli kompozytor sam aranżuje swoje piosenki.

(„Panorama", 1968)

O FESTIWALACH

Opole 1964 i *Tańczące Eurydyki.*

Festiwale to zło konieczne, chociaż lubię je jako widz. Ale na festiwalach moż-na się wybić, zostać zauważonym nie tyle przez publiczność, co przez krytyków. Swoista atmosfera festiwali wymaga żelaznych nerwów. Zarówno w Opolu czy Sopocie, jak i w San Remo.

(„Zarzewie", 1973)

Wiele zawdzięczam festiwalom, zarówno opolskim, jak i sopockim. Dały mi możność śpiewania przed ogromną publicznością i zdobyły mi słuchaczy.

(„Panorama", 1971)

Z Lucjanem Kydryńskim,
Sopot 1964.

Z ulubionym dyrygentem
Stefanem Rachoniem,
Opole 1970.

Zielona Góra 1973.

W 1963 roku „moja" piosenka *Tak mi z tym źle* (H.[enryk] Klejne, B.[ronisław] Brok) otrzymała na festiwalu w Sopocie drugie miejsce. Jesienią tego samego roku na I Ogólnopolskim Festiwalu Programów [Zespołów Estradowych] w Olsztynie przyznano mi I miejsce.

(„Jazz", 1964)

Myślę, że moim naprawdę pierwszym sukcesem piosenkarskim mogę nazwać udział w festiwalu opolskim w 1964 roku. Wówczas to *Tańczące Eurydyki* zostały zaakceptowane przez publiczność, dając mi tym samym prawo uczestnictwa w festiwalu sopockim.

Trudno mi dziś już nawet wyrazić, co wtedy czułam – rozpierające uczucie szczęścia, spełnienia…

(„Gospodyni", 1976)

Z wielką satysfakcją i radością stwierdzam, że takich festiwali jak w Opolu nie ma już chyba na całym świecie. W Opolu najważniejsza jest piosenka, lepsza czy gorsza, lepiej czy gorzej wykonana, ale ludzie przychodzą po to, by jej rzeczywiście posłuchać (a nie po to, by być obecnym na festiwalu), a soliści śpiewają na koncertach, recitalach, w hotelu i w parku. Takiego porozumienia, takiego całkowitego zatracenia granicy między sceną a widownią nie widziałam nigdzie, na żadnym festiwalu poza Opolem.

(„Życie Warszawy", 1967)

Dyplom

I. Ogólnopolski Festiwal Zespołów Estradowych
w Olsztynie
10 – 15 październik 1963 rok

ANNA GERMAN

NAGRODA

za

Artystyczną interpretację piosenek

JURY

Kierownik
Wydziału kultury P·W·R·N

Z-ca Przewodniczącego
Prezydium W·R·N

mgr Józef Fojkowski

Tadeusz Grączowski

LIST DO
MARKA SEWENA

W-wa, 1 VII [19]65 r.

Wielce Szanowny, Miły Panie!

Wróciłam już z Opola i leżę chora, bo serce jednak jest mocno nadwerężone. Lekarz zabronił w ogóle śpiewania, no ale to jest u mnie niemożliwe. Poleżę trochę i myślę, że do Sopotu jednak pojadę. Miły Panie Marku, czy będzie Pan w Sopocie? Rozmawiałam z dyrektorem [Ryszardem] Sielickim – muszę w sierpniu koniecznie nagrać płytę, no i chciałam tę kołysankę [*Melodię dla synka*] na niej mieć.

To będzie longplay. Chciałabym z Panem porozmawiać na ten temat. Proszę skreślić do mnie kilka słów, dobrze? 19 bm. jadę do Łeby odpocząć, żeby móc do Sopotu pojechać. Chciałabym tylko wiedzieć, gdzie mogę do Pana napisać w tej sprawie. Dobrze?

Tymczasem żegnam, serdecznie pozdrawiam Pana wraz z Rodziną. Przy najbliższej okazji przekażę córeczce niebieskie wstążki z Paryża. Atłasowe, mogą być?!

Jeszcze raz do widzenia, pozdrawiam

Anna German

O FESTIWALU
W OSTENDZIE

Ostenda była jakby przedłużeniem sopockiej imprezy. W pięknej sali miejscowego Kursalu spotkali się niemal wszyscy piosenkarze znani naszej publiczności z Opery Leśnej. Festiwal trwał cztery dni, a wszyscy uczestnicy występowali – w porządku alfabetycznym – tylko raz. Śpiewali za to od razu dwie piosenki – dowolną i konkursową.

I nagrodę jury przyznało laureatce z Sopotu, Monique Leyrac, II – Niki Kamba, III – przyznano mnie. Zarówno Kanadyjka, jak i Greczynka śpiewały te same piosenki co w Sopocie, ja natomiast wykonałam *Tańczące Eurydyki* i (jako piosenkę konkursową) *Zakwitnę różą*. Mówiąc o wykonywanych piosenkach, chciałabym dodać, że dwie zagraniczne piosenkarki śpiewały w Ostendzie jako przeboje ze swego repertuaru polskie piosenki, a mianowicie *Znad białych wydm* (Lucy Arnon z Izraela) i *Tańczące Eurydyki* (Niki Kamba z Grecji).

Organizatorzy zrobili wszystko, aby imprezę jak najlepiej rozreklamować. (Ulicami Ostendy przeciągnął korowód stylowych dorożek z piosenkarzami). Frekwencja była dobra, ale na sali (dwa tysiące miejsc) było trochę pustych miejsc. Konkurencją były recitale wielkich gwiazd, między innymi występowali równocześnie w Ostendzie [Charles] Aznavour, Sylvie Vertan i Johny Hollyday oraz Petula Clark. Ponadto odbywało się mnóstwo innych imprez, na przykład występy znanych wirtuozów, czynne były wystawy malarstwa itp.

Festiwal zakończył się wielkim balem (z udziałem dwóch tysięcy osób), podczas którego ogłoszone zostały wyniki konkursu.

(„Kurier Polski", 1965)

Przed Anną German estrady Europy

Nasza doskonała piosenkarka, Anna German, która ostatnio zdobyła III nagrodę na Międzynarodowym Festiwalu Piosenki w Ostendzie, spotkała się w tym kraju z ciepłym przyjęciem nie tylko jurorów lecz również krytyków muzycznych. Oto fragmenty recenzji pióra Leona-Henri Franekarta, która ukazała się w belgijskim dzienniku „La Derniere Heure" w numerach z 16 i 18 sierpnia br.

„...Polka, Anna German, posągowa blondynka wysokiego wzrostu, posiada talent i głos o niezwykłej skali i ekspresji: od pełnej melancholii, czułości, do tonów, w których brzmi chwilami nieomal dziki krzyk. Publiczność bardzo żywo reagowała na interpretację polskiej piosenkarki i nagrodziła ją burz

liwymi oklaskami. Anna German będzie na pewno chętnie witana na zachodnich estradach, bowiem w wykonaniu jej wzrusza słuchaczy całkiem nowy ton — subtelność i wielki urok. „Tańczące Eurydyki" mogą się stać bardzo modnym szlagierem".

Czy ta, oraz inne piosenki z repertuaru German zaczną rzeczywiście błyszczeć na estradach Zachodu — przekonamy się w najbliższej przyszłości. Nasza piosenkarka otrzymała bowiem tuż po sukcesie w Ostendzie, bardzo atrakcyjne oferty na występy we Francji, Holandii, NRF i Izraelu.

Nowy sezon Opery w Poznaniu

O PIOSENKACH POLSKICH NA TLE UTWORÓW ZAGRANICZNYCH

Nasze piosenki są bardzo różnorodne w nastroju i dlatego dobre na różne okazje. Wcale nie są gorsze od włoskich czy francuskich, mają tylko inny start, a właściwie wcale nie mają zagranicznego startu. Nie jest to wina polskiej piosenki, tylko naszej reklamy.

Dopóki nie będzie w Polsce czegoś w rodzaju przemysłu muzyki rozrywkowej, nasze piosenki będą popularne tylko w Opolu i w Sopocie, a za granicą jedynie z okazji koncertów polskich piosenkarzy. Znam to z własnego doświadczenia. Śpiewałam we Włoszech dwie polskie piosenki: *A kiedy wszystko zgaśnie* oraz *Cygański wóz* i niejednokrotnie słyszałam zdanie: Macie bardzo ładne piosenki, szkoda, że tak mało znane poza waszym krajem.

(„Synkopa", 1970)

XI KRAJOWY FESTIWAL POLSKIEJ PIOSENKI W OPOLU

Organizatorzy:
Ministerstwo Kultury i Sztuki
Centralna Rada Związków Zawodowych
Komitet ds. Radia i Telewizji „Polskie Radio i Telewizja"
Prezydium Miejskiej Rady Narodowej w Opolu
Towarzystwo Przyjaciół Opola

„PREMIERY OPOLE-73"

20 czerwca 1973 r. — Amfiteatr — godz. 20.00

Organizator — Komitet ds. Radia i Telewizji „Polskie Radio i Telewizja"

Piosenka	Autorzy	Wykonawcy
JAK TO MIŁOŚĆ	Jan Zalewski Adam Skorupka	*Stenia Kozłowska*
TO JEST TO	Jerzy Milian Maria Czubaszek	*Andrzej Dąbrowski*
NIE ODPISUJ MI NA LISTY	Bogusław Klimsa Andrzej Kuryło	*Daniel*
ZAPUKAM DO CIEBIE RÓŻĄ	Marek Sewen Roman Sadowski	*Waldemar Kocoń*
DLA CIEBIE ŻŁOBIE	Włodzimierz Korcz Ludwik Jerzy Kern	*Andrzej Szajewski*
PO CO JECHAĆ DO WERONY	M. Mroczkowski Wojciech Młynarski	*Zespół Bemibem*
KOLEINY	Anna Panas Anna Markowa	*Piotr Janczerski i Bractwo Kurkowe*
BUDUJEMY SOBIE DROGI	Władysław Słowiński Roman Sadowski	*Joanna Rawik*
OBYWATELU, ZOSTAŃ TATĄ	Jan Kaczmarek Maciej Kubis Jan Kaczmarek	*Danuta Rinn*
BO Z DZIEWCZYNAMI	Stefan Rembowski Andrzej Bianusz	*Jerzy Połomski*
BALLADA O NIEBIE I ZIEMI	Roman Czubaty Jerzy Ficowski	*Anna German*
TANGO Z RÓŻĄ W ZĘBACH	Włodzimierz Nahorny Jonasz Kofta	*Łucja Prus*
ŚPIEWAM POD GOŁYM NIEBEM	Seweryn Krajewski Krzysztof Dzikowski	*Irena Jarocka*
ONA I ON	Antoni Kopff Jacek Janczarski	*Zespół „Partita"*
POŁÓW	Marek Sart Stanisław Grochowiak	*Zespół „Pro Contra"*
CODZIENNOŚĆ	Janusz Kruk Marek Grechuta	*Zespół „Dwa plus jeden"*

Anna śpiewa *Tańczące Eurydyki.*

O POBYCIE
WE WŁOSZECH

W 1967 roku podpisałam trzyletni kontrakt z włoską firmą fonograficzną [Company Discografica Italiana]. We Włoszech, żeby zostać „towarem", który ludzie kupią, trzeba brać udział w programach telewizyjnych, sesjach fotograficznych, trzeba bywać w domach mody, ciągle udzielać wywiadów. Kiedy publiczność trochę pozna wykonawcę, można nagrywać płyty.

Spełniłam te warunki i w Neapolu nagrałam płytę z piosenkami neapolitańskimi, wzięłam udział w festiwalu w San Remo, wystąpiłam w dużym programie telewizyjnym z Domenico Modugno.

(Iwan Iliczow, Anna German: Świeć, gwiazdo moja…, 2010)

Na festiwalu w San Remo poznałam Connie Francis. Przyjemnie było zobaczyć, że nie jest „gwiazdą" w negatywnym znaczeniu tego słowa, lecz miłą, dobrą i myślącą dziewczyną. Zawsze mi się podobała: jej głos, śpiew, repertuar. Być może sprawiły to piosenki, które poruszają – proste, zwyczajne, o miłości.

(Z wywiadu dla prasy radzieckiej, 1975)

Dwie strony okładki włoskiej płyty Anny German.

13, 14 i 15 lipca br. [1967] w Neapolu odbył się 15. Festiwal Piosenki Neapolitańskiej. Dwa koncerty na wyspie Ischia i w Sorrento, finał w willi Floridiana w Neapolu. Byłam jedyną uczestniczką zagraniczną...

Festiwal neapolitański jest największym festiwalem południowych Włoch, odbywa się co roku od piętnastu lat. W tym roku organizatorzy wpadli na genialny pomysł. Ponieważ nie wszyscy piosenkarze (tu przewaga mężczyzn) śpiewają „na żywo" tak dobrze jak w studio, postanowiono urządzić widowisko telewizyjne z playbacku. A wszystko po to, aby wytwórnie płyt nie straciły klientów w razie „koguta" czy potknięcia się piosenkarza. No i odbył się najdziwniejszy festiwal – i to piosenki neapolitańskiej, rzewnej, melancholijnej, o pięknej linii melodycznej. Mieszkańcy Neapolu byli bardzo rozczarowani, gdy na zakończenie festiwalu ogłoszono wynik. I miejsce zajął sześćdziesięcioletni aktor, komik [Nino Taranto], który brawurowo odtańczył raczej pod playback piosenkę *Matusa*.

(„Życie Warszawy", 1967)

21 lipca wróciłam do Mediolanu z Neapolu po nagraniu płyty z piosenkami neapolitańskimi. W hotelu czekała na mnie wiadomość – zaproszenie do naszego konsulatu z okazji Święta Odrodzenia.

Bardzo mnie to ucieszyło. Mój pobyt wprawdzie dobiegał dopiero do półmetka (nigdy nie byłam poza krajem dłużej niż dwa miesiące), ale czułam się już bardzo stęskniona i osamotniona. Cieszyłam się, że będę mogła mówić o sprawach mi bliskich, tak po prostu, po polsku. Kto nie doświadczył, nie wie, jak trudno przebywać wśród obcych ludzi, nie znając dobrze ich języka.

Owszem, „dawałam sobie radę", ale cały dzień mijał w ciągłym napięciu. Starałam się zrozumieć, co do mnie mówią, jednocześnie zastanawiając się nad poprawną odpowiedzią. Z jaką ulgą myślałam o tym przyjęciu, na którym po prostu będę – a wszystkie słowa będą jasne, zrozumiałe, znane. I tak też było. Umyłam sobie włosy, „zrobiłam się na bóstwo", założyłam nawet klipsy, chociaż mnie trochę uciskały, i pojechałam do konsulatu.

Konsulat mieści się w starym, pięknym pałacu. Jak przez sen pamiętam dziedziniec, schody, mozaikę posadzek, stylowe meble. Było pięknie jak w... muzeum, toteż ze zdziwieniem spostrzegłam, że tu i ówdzie na tych zabytkowych fotelach i kanapach siedzą goście. Ale skoro pan konsul zezwalał, to i ja szybko znalazłam się w pozycji siedzącej (nowe pantofle), w gronie Polaków, inżynierów z Warszawy przebywających we Włoszech w związku z przejmowaniem licencji Fiata. Panowie inżynierowie też radzi byli z okazji

Ze Zbigniewem Skwierkowskim – konsulem
generalnym PRL w Mediolanie, lipiec 1967.

wspólnego świętowania, bo na ten wieczór przyjechali aż z Turynu. Wszyscy goście otrzymali piękne pamiątkowe medale wybite z okazji inauguracji Instytutu Polsko-Włoskiego. Potem było dużo toastów, wśród których dominował jeden – za powrót do domu.

Chociaż to zagadnienie mnie nie interesowało, nie mogłam jednak nie zauważyć, że włoscy goście wyraźnie sprzeniewierzyli się rodzimym winom na korzyść naszego winiaku i wyborowej czystej.

Zadowolona, podleczona na duchu, z pożyczonymi od żony przedstawiciela LOT-u, pani Prugierowej, książkami wróciłam do hotelu.

To był najmilszy dzień w czasie mego przedostatniego pobytu we Włoszech.

(„Panorama", 1968)

Przyznać się muszę szczerze, że mój pobyt tutaj jest jednym wielkim oczekiwaniem na powrót do Warszawy. Wczoraj [15 sierpnia] otrzymałam Oscara Sympatii wraz z Cateriną Valente, Rocky Robertsem, [Adriano] Celentano i innymi piosenkarzami włoskimi. W związku z tym pomyślałam sobie, że można by wprowadzić w Opolu nie Nagrodę Publiczności – tylko nagrodę DLA PUBLICZNOŚCI, takiego właśnie Oscara dla publiczności.

(„Życie Warszawy", 1967)

Tęsknię za domem, za Polską w sposób niewiarygodny. Obawiam się, że wręcz chorobliwy, bo nie do wytrzymania! Nie cieszy mnie żadne tam niebo, upał i inne uroki Południa. O wiele szczęśliwsza byłam w Rzeszowskiem, w Bieszczadach, gdzie trzeba było saniami do sali (zimnej) dojeżdżać…

(Z listu do Jana Nagrabieckiego, Neapol 1967)

Na festiwalu w San Remo, 6 lutego 1967.

Z ANNĄ GERMAN ROZMAWIA ALESSANDRO BERLENDIS

Z Fredem Bongusto, kompozytorem piosenki *Gi*, którą śpiewała w San Remo.

We Włoszech została Pani przedstawiona jako piosenkarka poety [Jewgienija] Jewtuszenki. Jakie są Pani relacje z tym poetą?

Nie znam go osobiście i nie jestem „jego piosenkarką". Interpretowałam niektóre piosenki skomponowane przez ormiańskiego muzyka [Arno] Babadżaniana z tekstami Jewtuszenki.

Mieszka i mieszkała Pani w Polsce, również w czasach rewolucji sprzed dziesięciu lat [chodzi o wypadki czerwcowe 1956 roku]. *Po której stronie Pani stała?*

Razem z mamą i babcią mieszkałam i do dziś mieszkam we Wrocławiu, około 300 kilometrów od miejsca, gdzie odbywała się rewolucja.

A więc którą stronę Pani trzymała?

Podobnie wtedy, jak i teraz moje zrozumienie i moje uczucie kieruję do ludzi nieszczęśliwych.

Jak to się stało, że skończyła Pani geologię?

Geologia zawsze mnie fascynowała. Piosenkarką zostałam później, ponieważ moją drugą pasją od dzieciństwa była muzyka. Wrócę do geologii, kiedy już nie będę mogła śpiewać.

Jakich włoskich piosenkarzy najbardziej Pani ceni?

Minę – za jej siłę interpretacji, Freda Bongusto – za piękny głos, Milvę – za siłę głosu. Natomiast kiedy jestem zmęczona i chcę się ożywić, słucham Rity Pavone.

Jacy włoscy piosenkarze cieszą się największą popularnością w Polsce i w innych krajach za „żelazną kurtyną"?

Marino Marini, Claudio Ville i Robertino.

Na pewno widziała Pani we Włoszech hipisów i dziewczyny w mini-spódniczkach. Czy w Rosji i innych krajach „bloku wschodniego" istnieje ten fenomen?

Istnieje, z jedną tylko różnicą: u nas młodzi „beat", mężczyźni i kobiety, noszą uczesanie i spodnie w taki sposób, że trudno odróżnić chłopaka od dziewczyny. Minispódniczka jeszcze do nas nie dotarła.

Wiemy, że jest Pani praktykującą katoliczką [Anna German była protestantką]. W Polsce, podobnie jak w innych krajach za „żelazną kurtyną", religia jest oficjalnie zabroniona. Jak reagujecie na to ograniczenie wolności religijnej?

Nie wiem, co się dzieje w innych krajach Europy Wschodniej. Wiem tylko, że w Polsce kościoły są pełne, a Polacy żywią uczucie szacunku do swojego kardynała.

Co odróżnia Włochy od Polski i innych krajów zza „żelaznej kurtyny"?

Ludzie wydają mi się mniej smutni. Sklepy są bardzo dobrze zaopatrzone. Nie widać już śladów wojny. W Warszawie wciąż jest mało odbudowanych domów…

Jakie wspomnienia z Włoch zawiezie Pani ze sobą do Polski?

Najpiękniejsze wspomnienia zostaną we mnie: gościnność, której doświadczyłam, serdeczność ludzi, ich szczęśliwe twarze. Zabiorę również kilka nowych ubrań, płyty i nadzieję, że wrócę tu szybko.

Niektórzy spośród naszych artystów wykazują żywą sympatię dla komunistycznego świata. Czy sprawiłoby Pani przyjemność, gdyby przyjechali śpiewać do Rosji czy innych krajów zza „żelaznej kurtyny"?

To pytanie zostało również zadane Władysławowi Jakubowskiemu, który jest impresario. Odpowiedział: Nie wysyłajcie nam komunistycznych artystów, mamy już wystarczająco naszych.

Zaraz po przyjeździe do Włoch zaczęła Pani nosić wzorzyste pończochy i minispódniczki. Ma Pani jakieś szczególne upodobanie do tej mody czy chce się Pani po prostu wyswobodzić z szarości komunistycznego świata?

Jeśli chodzi o krótką, choć nie nadmiernie krótką spódniczkę, to jest to moda młodzieżowa, którą lubię. Ja śpiewam, a nie zajmuję się polityką. Za tydzień będę śpiewać w Leningradzie, w pałacu należącym niegdyś do Piotra II. Z tej okazji założę kostiumy z epoki i zrobię to z takim samym entuzjazmem, z jakim teraz noszę minispódniczkę.

Co myśli Pani o piosenkach sprzeciwiających się wojnie i mówiących o problemach społecznych?

Nie wiem, co myśleć. U nas w Polsce i we wszystkich krajach Europy Wschodniej, z Rosją włącznie, nie ma piosenkarzy sprzeciwiających się.

Co Pani myśli o „wolnej miłości"?

Jestem zaręczona. Mój narzeczony nazywa się Zbigniew [Tucholski], ma trzydzieści lat [miał wówczas trzydzieści pięć], jest fizykiem nuklearnym i wykłada na Politechnice Warszawskiej. Chcemy wziąć ślub kościelny, kiedy tylko to będzie możliwe, ponieważ tak dla mnie, jak i dla niego miłość to znaczy rodzina.

Jeśli mogłaby Pani wybrać, wolałaby Pani żyć we Włoszech czy w Polsce?

Kocham Polskę, mój ojciec był Polakiem [W tamtych czasach Anna nie mogła powiedzieć o niemieckim pochodzeniu swego ojca], wszyscy Polacy kochają żyć w Polsce.

Kiedy się żegnamy, życząc sobie, by znów ją zobaczyć w San Remo, Anna ściska nam dłonie i mówi: Na pewno wrócę do Włoch. 15 stycznia będę miała koncert muzyki Domenico Scarlattiego w waszym klubie prasowym.

(Wywiad dla prasy włoskiej, 1966)

[W czasie swego pobytu we Włoszech Anna German udzieliła wielu podobnych wywiadów.]

LA MINA ROSSA
ALL'ASSALTO DI SANREMO

Si chiama Anna German ed è una polacca nativa dell'Uzbekistan - E' laureata
in geologia, fidanzata con un fisico nucleare ed ha in repertorio arie di Vivaldi

Cronaca di ALESSANDRO BERLENDIS

Milano, novembre

Al prossimo festival di Sanremo ci sarà, molto probabilmente, anche una cantante proveniente da un Paese oltrecortina. Si tratta di Anna German, nata nell'Uzbekistan, repubblica asiatica dell'Unione Sovietica, ma residente fin da bambina a Vroclaw, in Polonia. Dopo averla vista ed ascoltata, siamo convinti che Gianni Ravera, patron del festival di Sanremo, non si lascerà sfuggire l'occasione di averla sul palcoscenico del Casinò: Anna German, infatti, oltre ad essere una cantante artisticamente valida (nei Paesi oltrecortina è popolare quanto da noi lo è Mina), è anche una ragazza pittosto bella. Alta un metro e ottantaquattro, corpo perfetto, viso dai lineamenti dolcissimi, occhi grandi ed espressivi, capelli biondi e fluenti, Anna German è una di quelle ragazze che quando camminano nella strada non passano inosservate.

Il suo arrivo in Italia, sollecitato dal suo rappresentante discografico, ha provocato nel mondo della musica leggera un movimento di interesse mai verificatosi in circostanze analoghe: autori, musicisti, editori di musica hanno fatto a gara nell'offrire alla bella Anna le loro migliori canzoni e nel proporle i più allettanti "accoppiamenti" in vista della sua partecipazione al festival di Sanremo. Così, prima ancora che la sua presenza sia assicurata, le varie persone interessate la annunciano come partner di Milva, di Claudio Villa e di Iva Zanicchi, vale a dire dei tre cantanti sui quali, fin da ora, si fanno le più grosse previsioni di vittoria.

Rita Pavone la eccita

Anna German, che abbiamo incontrato durante la sua permanenza a Milano, si è mostrata lusingata e divertita per questo, forse insperato, successo di stima, limitandosi a dire: « Se troverò la canzone adatta alle mie possibilità, e se mi vorranno, verrò volentieri a Sanremo, anche perchè cantare in Italia è sempre stato il mio sogno ». Anna German, che ha ventisei anni, è laureata in geologia presso l'Università di Varsavia. La passione per la musica e il canto l'ha ereditata dal padre (di cui è orfana), apprezzato direttore d'orchestra. La sua carriera artistica si può compendiare in poche righe: ha partecipato, da quattro anni a questa parte, ad innumerevoli spettacoli televisivi trasmessi dalle stazioni di tutte le repubbliche sovietiche e dalla televisione polacca e romena; ha compiuto numerose *tournées* in tutti i Paesi d'oltrecortina. Il suo disco, contenente, tra l'altro, sei canzoni cantate in italiano e cioè *Ogni volta*, *La mamma*, di Aznavour, *Non l'ho l'età*, *Torna a Sorrento*, *Tango italiano* e *Tango d'amore*, sono state vendute oltre un milione di copie. Il suo reper-

comprende arie classiche di Albinoni e Vivaldi. Oltre al russo, al polacco e all'italiano, Anna German conosce il francese, l'inglese e il tedesco.

Durante il nostro incontro le abbiamo rivolto alcune domande, alle quali Anna German ha risposto amabilmente.

DOMANDA. *In Italia l'hanno presentata come la cantante del poeta Evtuscenko. Quali sono i suoi rapporti con il poeta?*

ANNA GERMAN. Non lo conosco personalmente e non sono "la sua cantante". Ho interpretato alcune canzoni composte dal musicista armeno Babagianian su testi di Evtuscenko.

DOMANDA. *Lei vive in Polonia e ci viveva anche dieci anni fa, al tempo della rivoluzione. In quell'occasione, da che parte si schierò?*

ANNA GERMAN. Io, con mia madre e mia nonna, abitavo, come oggi, a Vroclaw, a circa trecento chilometri dalla zona dove si svolse la rivoluzione.

DOMANDA. *Ma lei, allora, per chi teneva?*

ANNA GERMAN. Allora, come adesso, la mia comprensione e il mio affetto vanno agli infelici.

DOMANDA. *Come mai si è laureata in geologia?*

ANNA GERMAN. Perchè lo studio della geologia mi appassiona. Poi sono diventata cantante perchè la musica è stata la mia seconda passione fin da quando ero bambina. Ritornerò geologa quando non potrò più cantare.

DOMANDA. *Quali sono i cantanti italiani che preferisce?*

ANNA GERMAN. Mina, per la sua forza interpretativa; Fred Bongusto, per la dolcezza della sua voce; Milva, per la potenza della sua voce. Quando sono stanca e ho bisogno di risvegliarmi, ascolto Rita Pavone.

DOMANDA. *In Polonia e negli altri Paesi oltrecortina, quali sono i cantanti italiani che godono di una certa popolarità?*

ANNA GERMAN. Marino Marini, Claudio Villa e Robertino.

DOMANDA. *In Italia avrà visto i capelloni e le ragazze in minigonna. Esiste anche in Russia e nei Paesi del blocco orientale questo fenomeno?*

ANNA GERMAN. Esiste, con una sola differenza: da noi i giovani beat, uomini o donne, portano la stessa capigliatura e gli stessi pantaloni, al punto che non si distingue un ragazzo da una ragazza. La minigonna non è ancora arrivata.

DOMANDA. *Lei, sappiamo, è cattolica praticante. Ci risulta che in Polonia, come in altri Paesi oltrecortina, la religione sia ufficialmente osteggiata. Come reagite, voi, a questa limitazione della libertà religiosa?*

ANNA GERMAN. Non so quello che accade in altri Paesi dell'Europa orientale. So soltanto che in Polonia le chiese sono molto frequentate e che il popolo polacco nutre sentimenti di venerazione per il suo cardinale.

DOMANDA. *Che cosa c'è di*

diverso tra la Polonia di oggi e la Polonia di dieci anni fa?

ANNA GERMAN. La gente mi è sembrata meno malinconica. I negozi sono forniti di ogni cosa. Non vi sono più tracce della guerra: a Varsavia, per esempio, si è ricostruito poco.

DOMANDA. *Che cosa vorrà portare in Polonia come ricordo della sua visita in Italia?*

ANNA GERMAN. I ricordi migliori saranno dentro di me: le accoglienze avute, la cordialità della gente, i loro volti felici. Poi porterò qualche capo di vestiario, alcuni dischi e la speranza di tornare presto.

Nella reggia dello zar

DOMANDA. *Alcuni nostri cantanti, io saprà, dimostrano una certa simpatia per il mondo comunista. Avrebbe piacere che venissero a cantare in Russia e nei Paesi oltrecortina?*

ANNA GERMAN. Questa domanda è stata fatta anche a Wladyslaw Jakubowski, funzionario governativo polacco addetto allo Spettacolo. Egli ha risposto: « Non mandateci artisti comunisti. Ne abbiamo abbastanza dei nostri ».

DOMANDA. *Lei, appena in Italia, ha indossato calze operé e minigonna. Ha una predilezione per questa moda o l'ha fatto per ribellarsi all'austerità ufficiale del mondo comunista?*

ANNA GERMAN. Quella della minigonna non eccessivamente corta è una moda giovane che mi piace. Io canto, non faccio politica. Tra una settimana canterò a Leningrado, nell'ex palazzo reale che fu dello zar Pietro il Grande. Per l'occasione, indosserò costumi dell'epoca zarista e lo farò con lo stesso entusiasmo con il quale indosso in questi giorni la minigonna.

DOMANDA. *Che cosa pensa delle canzoni protestatarie? Di quelle, per intenderci, che parlano contro la guerra e agitano problemi sociali?*

ANNA GERMAN. Non so che cosa pensare. Da noi, in Polonia e in tutti i Paesi dell'Europa orientale, Russia compresa, non ci sono cantanti protestatari.

DOMANDA. *Che cosa pensa dell'amore libero?*

ANNA GERMAN. Io sono fidanzata. Il mio fidanzato si chiama Zbiglieu, ha trent'anni, è fisico nucleare e insegna al Politecnico di Varsavia. Appena possibile ci sposeremo in chiesa, perchè per me, come per lui, amore vuol dire famiglia.

DOMANDA. *Se lei potesse scegliere, preferirebbe vivere in Italia o in Polonia?*

ANNA GERMAN. Io amo la Polonia, mio padre era polacco, tutti i polacchi amano vivere in Polonia.

Quando ci congedammo augurandole di rivederla a Sanremo, Anna, stringendoci la mano, disse: « In ogni modo, in Italia tornerò. Il 15 gennaio terrò un concerto di musiche di Alessandro Scarlatti al vostro Circolo della Stampa ».

Milano. Anna German, la prima voce d'oltrecortina che ascolteremo al prossimo festival di Sanremo. Nata nell'Uzbekistan, una repubblica dell'Unione Sovietica, è di nazionalità polacca. Si è dedicata al canto dopo essersi laureata in geologia. La sua popolarità nell'Europa orientale è cresciuta molto dopo che il popolo ha scritto per lei i testi di alcune canzoni.

O PIOSENKACH WŁOSKICH

Przekonałam się, że piosenka włoska wcale nie jest taka przecudowna. Owszem, po włosku śpiewa się trochę łatwiej niż po polsku, ale to też tylko w niektórych piosenkach, bo te, które są na ostatniej płycie, śpiewa się generalnie bez skrzypiących spółgłosek „ż" i „sz". A festiwale w San Remo, na które patrzyłam już później bardziej krytycznie, to wcale nie takie cudowne imprezy, a piosenki nie tak ciekawe, jakby nam się wydawało, przede wszystkim jeśli chodzi o teksty, które są banalne. Zaś muzycznie – to starają się ci panowie komponować tak, żeby wszyscy mogli zaśpiewać piosenkę już następnego dnia po jej usłyszeniu. I w dodatku festiwale we Włoszech to prawie wszystko. Żyje się od festiwalu do festiwalu. Grupy młodzieżowe uprawiające inne rodzaje muzyki istnieją, ale poza festiwalami, więc ich muzyka nie dociera szerzej. Rynek piosenki włoskiej jest bardzo skomercjalizowany.

(„Scena", 1970)

Nagrałam piosenkę, którą śpiewam w San Remo [*Gi*]. Jest dość melodyjna i sympatyczna. Ale twierdzę, że u nas pisze się lepsze rzeczy i muzycznie, i tekstowo.

(Z listu do Jana Nagrabieckiego, Mediolan 1967)

Poprawa zdrowia A. German

RZYM.

Kierownictwo kliniki chirurgicznej w Bolonii, gdzie przebywa po wypadku samochodowym nasza piesniarka Anna German, informuje 7 września, że w jej stanie zdrowia nastąpiła dalsza wyraźna poprawa. Jeżeli nie zajdą żadne nieoczekiwane komplikacje, pacjentka w ciągu tygodnia zostanie przewieziona do miejscowego instytutu ortopedycznego dla kontynuowania kuracji. Anna German odzyskała całkowicie przytomność, choć trwa jeszcze pewne oszołomienie po doznanym ciężkim szoku.

Anna German w kraju

We wtorek powróciła do kraju Anna German. Jak wiadomo, nasza znakomita piosenkarka uległa w końcu sierpnia poważnemu wypadkowi samochodowemu we Włoszech, gdzie przebywała na występach. Po leczeniu w Bolonii stan zdrowia artystki poprawił się na tyle, że mogła powrócić do ojczyzny.

Jak oświadczył opiekujący się piosenkarką z ramienia Pagartu dr Cezary Rzadkowski, stan zdrowia Anny German nie budzi obaw i rokuje nadzieję, że za kilka miesięcy powróci na estradę.

Stan zdrowia Anny German nadal poważny

Stan zdrowia Anny German jest nadal bardzo poważny. Nie przewiduje się jednak żadnego zabiegu chirurgicznego. Chora leczona jest całym zespołem środków doraźnych i leków, które mogą się przyczynić do poprawy jej zdrowia. Najgroźniejsze są nadal urazy mózgu.

Takie informacje uzyskała PA Interpress w bezpośredniej rozmowie telefonicznej z asystentem profesora Carlo Alvisi, znanego neurochirurga włoskiego, pod którego opieką w klinice bolońskiej znajduje się artystka.

W czwartek przybyła do Bolonii matka oraz narzeczony śpiewaczki. W rozmowie telefonicznej z p. Tucholskim — dowiadujemy się, że chora nadal nie odzyskała przytomności. Rozważana jest sprawa przewiezienia jej do specjalistycznej kliniki przy Uniwersytecie Bolońskim — ale o tym zadecydować miało ostatecznie konsylium lekarskie w późnych godzinach piątkowych.

Do kliniki „Madre Fortunata Toniolo", w której znajduje się Anna German nieustannie napływają depesze z Polski od miłośników jej talentu, a także depesze i kwiaty z całych Włoch, gdzie polska artystka zdobyła sobie ogromną popularność. Kwiaty z Polski wysłała dziś Polska Agencja Artystyczna PAGART.

(Interpress)

Anna German opuściła szpital

RZYM. Włoska agencja prasowa „ANSA" podaje, że znana polska piosenkarka Anna German opuściła w środę szpital Św. Urszuli, w którym przebywała od czasu tragicznego wypadku samochodowego i rozpoczyna dalszą kurację w światowej sławy ortopedycznym instytucie Rizzoli w Bolonii. W stanie zdrowia Anny German nastąpiła dalsza poprawa, niebezpieczeństwo ponownego kryzysu minęło bezpowrotnie.

Życiu Anny German nie grozi niebezpieczeństwo

Po wypadku samochodowym, w którym ranna została Anna German, natychmiast skontaktowaliśmy się z agencją Interpress. Jak wynika z ostatnich informacji stan pieśniarki jest ciężki, uniemożliwiający bezpośrednią rozmowę, jednak — wg. opinii włoskich lekarzy — życiu jej nie zagraża niebezpieczeństwo. Troskliwą opiekę nad Anną German roztoczył konsulat polski w Mediolanie. Dziś oczekujemy dalszych wiadomości z Mediolanu.

Trzeba dodać, że wypadek, który wydarzył się w miejscowości San Lazzaro do Savena, 3 km od Bolonii, odbił się szerokim echem w prasie włoskiej. Dzienniki relacjonują, że „Fiat 850", prowadzony przez Włocha z Bolonii, w którym znajdowała się Anna German, wpadł do rowu. Z dochodzenia prowadzonego przez policję wynika, że przyczyną katastrofy była niedyspozycja kierowcy lub defekt układu kierowniczego.

Anna German w klinice Madre Fortunato Toniolo

Wypadek, jakiemu uległa Anna German w drodze do Bolonii, poruszył cały świat artystyczny i wielbicieli talentu tej pieśniarki w Polsce i za granicą. Z całego kraju nadchodzą depesze i telefony z zapytaniami o stan zdrowia artystki. Na szczęście nie doszło do tragedii, lecz stan Anny German jest nadal poważny.

Jak się dowiaduje P. A. Interpress, została ona umieszczona w klinice bolońskiej Madre Fortunato Toniolo pod opieką włoskiego profesora Mario Gandolfi. Pani Anna pozostaje również pod stałą opieką mediolańskiego konsulatu PRL, włoskiego impresario jej występów Pierro Cariaggi. Do szpitala napływają liczne depesze od artystycznego świata włoskiego niezwykle poruszonego tym wypadkiem. Anna German zdobyła sobie bowiem we Włoszech ogromną popularność, występowała ze znanymi włoskimi gwiazdorami estrady m. in. z Domenico Modugno i Salvatore Adamo, którzy również natychmiast po wypadku skontaktowali się z kliniką Madre Fortunato Toniolo.

Jak nas poinformowano — w czwartek rano wyruszyła do Włoch matka piosenkarki i jej narzeczony. Polska Agencja Artystyczna Pagart jest w stałym kontakcie ze szpitalem w którym przebywa Anna German oraz z konsulatem mediolańskim i otrzymuje co pare godzin najświeższe informacje o stanie zdrowia artystki.

Anna German ranna w wypadku samochodowym

RZYM. — Jak podaje włoska agencja ANSA, przebywająca na występach w tym kraju nasza znakomita piosenkarka Anna German uległa wypadkowi samochodowemu na trasie z Rimini do Bolonii. Artystka doznała ogólnych potłuczeń i została przewieziona do jednej z klinik w Bolonii, gdzie znajduje się pod troskliwą opieką lekarską.

Anna German jechała do Mediolanu, gdzie miała dokonać nagrań płytowych.

ANNA GERMAN czuje się lepiej

Jak informuje korespondent włoskiej agencji prasowej ANSA w depeszy nadesłanej o północy z niedzieli na poniedziałek, stan zdrowia polskiej piosenkarki Anny German (lat 31), która padła ofiarą wypadku samochodowego niedaleko tego miasta, stale się poprawia. W niedzielę po upływie 8 dni piosenkarka dała znać, że zrozumiała kilka słów wypowiedzianych do niej przez matkę i narzeczonego. Również polecenie neurologa prof. Carlo Alvisi wypowiedziane w języku niemieckim i angielskim zostało zrozumiane przez Annę German. Lekarz — kazał jej otworzyć oczy, co piosenkarka uczyniła, skarżąc się również na ból w złamanej nodze. Stwierdzając jednak niewątpliwą poprawę, lekarze nie wypowiadają się jeszcze na temat

O WYPADKU, POWROCIE DO ZDROWIA I LISTACH OD WIELBICIELI

CLINICA ORTOPEDICA DELL'UNIVERSITÀ
ISTITUTO RIZZOLI
BOLOGNA

IL DIRETTORE
R. ZANOLI   Telef. 226.601/2

Bologna 23/4/68.

Gentile Signora,

la ringrazio delle sue gentili
espressioni e delle notizie che mi da della sua
figliuola. Mi auguro che vada sempre migliorando
ed in breve sia completamente ristabilita.

Le faccia i miei migliori auguri.

La saluto cordialmente.

(Prof. Raffaele Zanoli)

Odczułam nagle kilka wstrząsów, jakby samochód znalazł się na okropnych kocich łbach zamiast na gładkiej jak lustro szosie. Potem zapanowała cisza i ciemność. (…)

Nad ranem zauważył nasz rozbity wóz kierowca ciężarówki przejeżdżający tą drogą. Samochód był roztrzaskany, (…) znalazłam się daleko poza wrakiem samochodu, wyrzucona wielką siłą.

Zaalarmowano policję i przewieziono nas [Annę i pianistę, który prowadził samochód] do szpitala. Zostało mi zaoszczędzone uczucie bólu i zimna w rowie, kłopotów transportu do szpitala.

Pozwoliłam sobie na tygodniową przerwę w życiorysie.

(*Anna German*, Wróć do Sorrento?..., *1970*)

Najbardziej mi dokuczał gips. Na nodze będę miała zmieniany gips po raz trze-ci, a na ramieniu po raz czwarty. A dlaczego szybko przychodzę do zdrowia? Dlatego, że nie palę i nie piję! Ale żarty żartami...

Opiekę we Włoszech miałam bardzo dobrą. Szczerze i bezinteresownie opiekował się mną profesor Carlo Alvisi oraz polski konsul Mieczysław Kłos.

("Słowo Powszechne", 1967)

Diagnoza lekarzy była surowa i kategoryczna: Będzie pani żyła, ale o powrocie na scenę proszę zapomnieć.

Mój powrót do zdrowia trwał prawie trzy lata. Wtedy wydawało mi się, że muszę zapomnieć o muzyce, ale ona wróciła do mnie!

Sił dodawały mi serdeczne słowa nieznanych ludzi. Ich listy wlewały we mnie nadzieję na szczęśliwe zakończenie. Poruszył mnie zwłaszcza pewien list z Afryki: „Kiedy włączam magnetofon, żeby posłuchać pani piosenek – od-chodzi strach, znika samotność. Pani głos to cały świat, zadziwiający i prze-piękny...".

(Z wywiadu dla prasy radzieckiej, 1980)

Moja sytuacja była rozpaczliwa – i z fizycznej, i z psychicznej strony. Długo nie odzyskiwałam przytomności, nie mogłam mówić. Pięć miesięcy byłam w gip-sie po szyję, kolejne pięć – unieruchomiona już bez gipsu... Trzy włoskie i trzy polskie szpitale starały się przywrócić mnie życiu. Nie było wiadomo, czy kości się zrosną, czy będę mogła chodzić.

Specjalne ćwiczenia, które wykonywałam niemal do siódmych potów, dały efekt. I chociaż lewa ręka i noga jeszcze nie są najsprawniejsze, zaryzyko-wałam spotkanie z publicznością.

(Z wywiadu dla prasy radzieckiej, 1970)

Jestem naprawdę wzruszona pamięcią i objawami sympatii, z jakimi się spoty-kam podczas mojej choroby. Nie ma dnia, aby nie dowiadywali się o moje zdro-wie nie tylko najbliżsi przyjaciele i znajomi, nie tylko przedstawiciele instytucji, z którymi współpracuję – Polskiego Radia i Telewizji, Pagartu – ale także ludzie zupełnie mi nieznani, po prostu słuchacze moich piosenek.

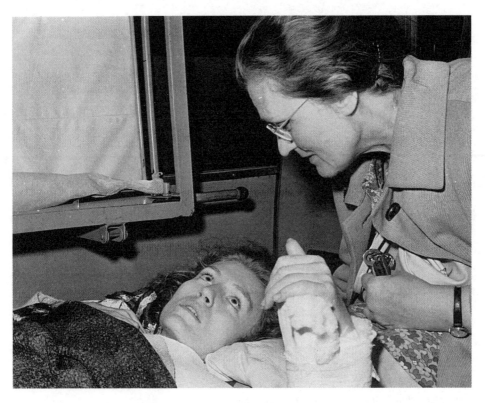

W karetce pogotowia z matką, Warszawa, 17 października 1967.

Chciałabym przeprosić wszystkich, którzy przysyłają mi niezwykle serdeczne listy, że nie mogę na nie odpowiedzieć. Naprawdę wszystkie czytałam i za wszystkie bardzo dziękuję.

(„Radio i Telewizja", 1968)

Przez lata choroby i rehabilitacji zrozumiałam, co jest najważniejsze w życiu.

Inaczej teraz widzę świat. Kompozytorzy przynoszą mi czasem bardzo dobre piosenki, ale nie mam ochoty ich śpiewać. Są smutne, a ja chcę śpiewać o radości życia, o miłości, chcę, żeby ludzie się uśmiechali. Czasem mogą płakać, bo to oczyszcza duszę, ale więcej powinno być radości i śmiechu niż smutku.

(Z wywiadu dla prasy radzieckiej, 1972)

Związek Młodzieży Wiejskiej, Redakcja „Nowa Wieś"
i Redakcja „Synkopa"

Listy od wielbicieli wzruszają mnie ogromnie. Piszą do mnie z różnych zakątków świata, adresując po prostu: „Anna German – Polska". W wyjątkowych dla
mnie chwilach otrzymuję tych listów przeogromną ilość. Nie wiem naprawdę,
jak mam dziękować za tyle wyrazów sympatii i za tyle serca…

(„Synkopa", 1977)

Przekonałam się wielokrotnie, że wielu ludzi jest mi życzliwych i że interesuje
ich mój los. Chciałabym podziękować moim przyjaciołom. Przede wszystkim
piosenkarzom, aktorom, muzykom i dziennikarzom… za ich dyskretną pomoc
podczas mojej choroby, a ludziom mi nieznanym za serdeczne, ciepłe listy, które dodawały mi otuchy i wiary w człowieka.

Czuję się już prawie doskonale. Czasami miewam jeszcze swoje „smutne" dni, ale wtedy biorę się za jakąś domową robotę, na przykład pastowanie
podłogi, i zaraz zły nastrój mija.

Wiele czasu poświęcam na rehabilitacyjne ćwiczenia. Staram się dużo
chodzić, gimnastykować, podnosić ciężarki, wyrabiać mięśnie dłoni. Poza tym
odpowiadam na liczne listy, słucham muzyki, przyjmuję wizyty, sama chodzę
w odwiedziny.

(„Synkopa", 1970)

Ministerstwo Zdrowia i Opieki Społecznej Warszawa,Miodowa 15
Ob. Anna German Warszawa ul.Solec 79a m.91. 4 styczniá 1968r.
LRU-4231-46/67.Ministerstwo Zdrowia i Opieki Społecznej zawia
damia, że Obywatel Minister Zdrowia i Opieki Społecznej
decyzją z dnia 27 grudnia 1967 r.wyraził zgodę na bezpłatne
leczenie Obywatelki w zakładach społecznych służby zdrowia
przez okres jednego roku, to jest do dnia 27.XII.1968r., na
warunkach i w zakresie przysługującym ubezpieczonym.
Leki z aptek otwartych w tym zakresie otrzymywać będzie
Obywatelka za ulgową opłatą 30%.Pismo niniejsze jest równocześnie dokumentem uprawniającym Obywatelkę do uzyskiwania
bezpłatnych świadczeń leczniczych, który należy okazywać
w zakładach społecznych służby zdrowia. V-Dyrektor Departa-
mentu /F.Olędzki/ lekarz.Podpis nieczytelny.Do wiadomości:
Prezydium Rady Narodowej m.st.Warszawy Wydział Zdrowia
i Opieki Społecznej. Warszawa.-

Za zgodność wydałem.

Pierwsze kroki po wypadku.

Powrót na estradę był dla mnie podwójnym wyzwaniem – fizycznym i moralnym. Po tym, co przeżyłam, gdy najdrobniejszy ruch powodował ból, trzeba było wyglądać na zupełnie zdrową, żeby publiczność nie myślała, że liczę na jej pobłażliwość.

Przez trzy lata mojej nieobecności na estradzie pojawiły się nowe rytmy w piosence, modne stało się tak zwane mocne uderzenie. Chciałam być modna. Przygotowałam nowy repertuar – rytmiczne i przebojowe piosenki. Myślałam, że taka spodobam się publiczności. Zwróciłam się do telewidzów z pytaniem: Przystosować się do nowych rytmów czy pozostać taką, jaką byłam?

Większość odpowiedziała, żeby zostać wierną sobie, że lubią mnie jako Eurydykę.

Zrozumiałam, że w sztuce ważne jest, by zachować własną twarz. Publiczność od razu to wyczuwa.

Nie gonię za modą. Zostałam taką, jaką byłam. W życiu trzeba być naturalnym.

(Z wywiadu dla prasy radzieckiej, 1980)

Maria Slaska

ANNY
POWRÓT
PRAWDZIWY

Annę German spotkam w Teatrze Rozrywki na chwilę przed rozpoczęciem próby jej telewizyjnego występu. Uśmiechnięta, zadowolona i trochę zabiegana, ustala ostatnie szczegóły z reżyserem, garderobianą, inspicjentem. Promienieje, nareszcie znalazła się w środku tego, co dla niej stanowi szczęście.

— Pani Anno, cieszymy się Pani powrotem na estradę. Tamten odległy, w Sali Kongresowej, był tylko namiastką prawdziwego, nie tylko dla słuchaczy, lecz także pewnie i dla Pani.

— Tak, dopiero teraz, kiedy zaczęłam żyć życiem naprawdę intensywnym, czuję się zadowolona.

— Pomówmy więc o Pani dniu dzisiejszym i przyszłości.

— Wiosną, po raz pierwszy po chorobie, wystąpiłam z dwoma recitalami: w Warszawskim Towarzystwie Muzycznym i sali ZAIKS-u. Śpiewałam piosenki własnej kompozycji do słów m. in. Aliny Nowak, Romana Sadowskiego, Jerzego Ficowskiego i Leonida Teligi.

— Jeden z tych recitali miałam okazję słyszeć. Szczególnie podobały mi się Pani piosenki żartobliwe: *Mój generał ołowiany* i *Mój wujek jest hodowcą moli*, obie ze słowami J. Ficow-

skiego. Czy nie uważa Pani, że dobrze byłoby wzbogacić repertuar o utwory tego rodzaju?

— Tak, myślę o tym coraz chętniej, chociaż liryczna piosenka pozostanie moim ulubionym gatunkiem. Wróćmy jednak do teraźniejszości. Przygotowuję czwarty longplay, który prawdopodobnie ukaże się na rynku przed festiwalem opolskim. Znajdą się na nim m. in. dwie piosenki J. Ficowskiego — *Prawda nieprawdziwa* (muz. M. Sarta) i *Wiatr mieszka w dzikich topolach* (muz. M. Sewena) piękny, liryczny utwór Z. Staweckiego i R. Sielickiego — *Warszawa w różach* oraz filozoficzna w treści piosenka J. Millera i W. Piętowskiego — *Trzeba się nam pośpieszyć* i również Millera do muzyki L. Bogdanowicza — *Kochaj mnie taką, jaka jestem*, a ponadto trzy własne kompozycje, z których szczególnie bliska jest mi piosenka *Za siedmioma morzami*, stanowiąca autentyczny, piękny i bardzo liryczny list matki do syna-marynarza, nadesłany mi przez panią Aleksandrę Stefanowską z Gdyni, żonę i matkę kapitana.

— No a perspektywa?

— Udział w festiwalu opolskim w koncercie premier i występ z własnym recitalem, będącym jedną z imprez towarzyszących, a wcześniej — być może wyjazd na festiwal piosenki do Buenos Aires z moją kompozycją do słów J. Ficowskiego — *Cztery karty*. Na jesieni przygotowuję pełny recital w Sali Kongresowej.

— Problem szczęścia przewija się dość często w Pani wypowiedziach i wspomnieniach włoskich. Co jest szczęściem w Pani pojęciu?

— Teraz moja praca. Zresztą chyba dla każdego człowieka umiłowanie pracy powinno być jednym z najważniejszych warunków szczęścia.

— Trafnie to określił prof. Tatarkiewicz: „Powinno się robić to, do czego ma się skłonności, co się umie robić.

Robiąc — uczyć się nieustannie, a całość sama się złoży". Powiedziała Pani jednak — teraz — a przedtem?

— Podczas choroby prawdziwym szczęściem wydawało mi się umycie podłogi.

— To małe szczęście spełniło się przecież kiedyś?

— Tak, chociaż w pozycji siedzącej.

— Co Pani lubi poza śpiewaniem?

— Sport: pływanie, jazdę na rowerze, a poza tym długie spacery, spotkania z przyjaciółmi, kino. Najchętniej oglądam komedie, np. *Pół żartem, pół serio* widziałam cztery razy, westerny i jak każda kobieta filmy psychologiczne, unikam natomiast wojennych.

— Przypominam sobie Pani przyjaźń z Leonidem Teligą. Jak się ona zaczęła?

— Od mojej piosenki *Deszczem, zawieją*, nazwanej przez Teligę *Tęsknotą*. Towarzyszyła mu ona w samotnej wędrówce po morzach i oceanach i podobno podnosiła na duchu.

— Pani była wówczas także samotnym wędrowcem, z wielkim trudem powracającym do swego portu.

— Tak, i to nas może zbliżyło. Nawiązaliśmy korespondencję, otrzymałam kilka jego wierszy, do których napisałam muzykę.

— Na ostatnim recitalu słyszałam *Wiosenną humoreskę* i *Noc nad Mekongiem*.

— Razem z dwiema innymi kompozycjami do wierszy L. Teligi nagrałam je na płycie.

— Zafascynowało Panią bohaterstwo L. Teligi, jakie cechy charakteru ceni Pani u ludzi najbardziej?

— Wyrozumiałość i szlachetność, a nie znoszę złośliwej ironii.

— Wymarzone wakacje?

— Z namiotem, z dala od zgiełku i ludzi, najchętniej na bezludnej wyspie. Tylko gdzie ją znaleźć?

— Mówiąc słowami jednej z Pani piosenek — trzeba się nam pośpieszyć...

O REHABILITACJI W KONSTANCINIE

Zimą 1968 roku znalazłam się w Konstancinie. To był mój szósty szpital. Miałam wielkie nadzieje związane z Konstancinem, bo słyszałam, że w klinice profesora [Mariana] Weissa dzieją się istne cuda.

Byłam jeszcze po same uszy w gipsie, czekałam na decyzję pana profesora, żeby gips wreszcie zdjąć. Brakowało jeszcze dziesięć dni, ale pan profesor zdecydował, że zdejmie wcześniej. Byłam mu za to ogromnie wdzięczna. Mój koszmar miał się zakończyć!

Byłam ciekawa, jak wygląda ten pan, o którym słyszałam tyle dobrego i za granicą, i w Polsce. Przede wszystkim od współpracowników, co się chyba najbardziej liczy.

Pierwszy raz zobaczyłam pana profesora na obchodzie. Wysoki, bardzo przystojny. Natychmiast to zauważyłam, mimo że byłam jeszcze chora. Wydaje mi się, że pan profesor w wolnych chwilach powinien grywać w westernach mocnych, pięknych mężczyzn.

Profesor Weiss przywitał się serdecznie. Zapytał o Włochy. Powiedział, że gdyby od początku można mnie było przewieźć tutaj – obyłoby się bez gipsu. Cały ten trudny okres przeszłam pod kierunkiem pana profesora i to z bardzo dobrymi rezultatami. Najlepszy przykład, że poruszam się swobodnie, bez obaw chodzę ulicami, jeżdżę tramwajami…

Konstancin nie jest typowym szpitalem. Pokoje są urządzone zupełnie po domowemu. Nie czuje się tej zimnej szpitalnej atmosfery. Jest ciepło, przytulnie, są kwiaty, są kolorowe kanapy. W moim pokoju była czerwona…

(Z audycji radiowej, 1971)

Profesor Marian Weiss.

O KSIĄŻCE
WRÓĆ DO SORRENTO?...

To, że napisałam książkę, jest zupełnie przypadkowe. Kiedy po wypadku długi czas nie mogłam śpiewać, usiłowałam znaleźć sobie jakieś zajęcie. Chciałam jednocześnie zrzucić z siebie ciężar przeżyć, wyzbyć się niechęci do Włoch, jakiej nabrałam po wypadku. Zaczęłam więc pisać tak, jak umiałam, dzielić się wrażeniami z autorami listów, które otrzymywałam w czasie choroby i rekonwalescencji.

(„Scena", 1970)

Szukałam wtedy sposobu na skrócenie dłużących się w nieskończoność dni, tygodni, miesięcy… Nie sądzę, bym wróciła do pisania.

(„Gospodyni", 1976)

Cena zł 12,—

Anna German — znakomita piosenkarka, laureatka wielu festiwali i konkursów, jest z zawodu geologiem. Studia ukończyła w r. 1962 we Wrocławiu. Prawdziwą jednak jej pasją życiową był śpiew. Śpiewała od najmłodszych lat, a występowała na estradzie jeszcze w czasie studiów.

Po licznych sukcesach w Polsce i za granicą została zaproszona na koncerty i nagrania płytowe do Włoch. Jej świetnie rozwijającą się karierę przerwał ciężki wypadek samochodowy podczas podróży z południa Włoch do Mediolanu. Po dwuletnim okresie leczenia wracająca do zdrowia piosenkarka dzieli się z czytelnikami wspomnieniami dotyczącymi głównie dziejów jej kariery.

ANNA GERMAN NIE TYLKO O SOBIE

„Tygodnik Kulturalny" (Nr 22/625) przynosi kolejny (czwarty) odcinek niezwykle interesującego pamiętnika naszej wybitnej piosenkarki Anny German. Jest to publikacja zasługująca na szczególną uwagę nie tylko czytelników — wielbicieli wielkiego talentu Anny German. Jest to nie tylko opowieść o blaskach i cieniach zawodu piosenkarza. Anna German pisze o sobie. Pisze prosto, szczerze i pięknie. Pisze o radościach i smutkach swego zawodu. Dzieli się z czytelnikami swymi marzeniami, kłopotami, wzruszeniami. Odkrywa swe uczucia i odczucia. Czyni to z ogromną kulturą i taktem bez cienia kokieterii i pozy. Pisze równie pięknie i szczerze jak śpiewa. To już wiele by jej pamiętnik przeczytać z zainteresowaniem. Ale Anna German pisze prawdę nie tylko o sobie. Z taką samą ogromną kulturą i taktem ukazuje ciemne strony zawodu piosenkarza w Polsce, a także nonsensy i braki w funkcjonowaniu „Pagartu" i innych instytucji działających w branży estradowej. W tym przedmiocie pamiętnik Anny German jest jeszcze jedną gorzką ilustracją naszego cyklu publikacji „Komu piosenkę".

W liście do czytelników będącym wstępem do pamiętnika Anna German pisze m. in.

„W czasie pięciu nieskończenie długich miesięcy leżenia w skorupie gipsowej, jak też w czasie następnych pięciu miesięcy przebywania w łóżku już bez gipsu — przysięgałam sobie często, że nigdy nie wrócę do Włoch nawet wspomnieniem".

Stwierdzenie szokujące u gwiazdy o której włoskich sukcesach głośno było u nas parę lat. A. German wyjaśnia kulisy tych sukcesów. Opisuje jak doszło do podpisania kontraktu z włoską wytwórnią płyt C.D.I.

Pan Cariaggi starał się przedstawić w najładniejszych kolorach wszystkie możliwości, jakie na mnie czekają we Włoszech, właśnie w jego wytwórni. Nie zrezygnował nawet z takiego chwytu reklamowego, jak zapewnienie, że w jego wytwórni nagrywają takie sławy jak Mario del Monaco.

Jak się później okazało, takie sławy są jakby narodowa własnością, mogą nagrywać wszędzie, nawet w tak mało znaczącej wytwórni, jak CDI. Wytwórnia taka robi to oczywiście dla własnej reklamy, płacąc dostatecznie słono. Ale ja o tym nie wiedziałam..."

Pani German nie wiedziała nic na temat CDI. Nie wiedziała też bo niby skąd miała wiedzieć jakie przykre pułapki kryją się za tym pozornym uśmiechem losu. Nie wiedziała ile czeka ją upokorzeń, ile goryczy w słon[..] nej Italii. Pani Anna nie wiedziała. Nie siała. Dlaczego jednak nie wiedział tego pr[..] stawiciel Pagartu.

Pamiętnik Anny German mówi nie t[..] o cieniach zawodu piosenkarki, która ma w[..] ki talent i ambicje, która nie chce ch[..] rzyć, odsłania także kulisy wielkich karie[..] tzw. Zachodzie oraz, co dla nas jest szcze[..] nie ważne, kompletną degrengoladę panu[..] w tej dziedzinie u nas, w kraju. Autorka [..] miała zapewne takiego zamiaru. Chciała n[..] sać prawdę o sobie. Ale ta prawda jest m[..] wolnym oskarżeniem. Mimo ogromnego t[..] i delikatności autorki jest to oskarżenie [..] litosne.

REDUKCJE I DEGRADACJE ŚWIĘTYC[..]

W „Argumentach" (Nr. 21/572) ukaza[..] artykuł Michała Horoszewicza zatytułow[..] „Świętych zagrożenie" w którym czyt[..] m. in.

„Od dawna Kościół nie ośmiela się [..] wać naprzeciw postępowi nauki i tech[..] pogodził się z tym już całkowicie. Dąży[..] „wpisywania się" w świat cywilizacji ws[..] czesnej z mniej czy bardziej pozytywnym[..] zultatem, patrzy optymistycznie — na[..] optymistycznie? — w przyszłość. Jedn[..] nie powinien — jak się wydaje — konfro[..] wać wymagań współczesnej nauki z pr[..] mami ściśle fideistycznymi, z kwestiami [..] leżącymi do dziedziny wiary; to bowiem [..] że mu przysporzyć niejednej trudności, [..] nieczności wolty, dezawuowania wykon[..] ców dla ochrony autorytetów. Wskazują [..] to choćby i niedawne doświadczenia".

Autor omawia następnie ogłoszony w [..] 9 maja br. dekret Pawła VI ustanawiający [..] wy układ roku liturgicznego oraz nowv [..] lendarz liturgiczny począwszy od 1970 r. De[..] ów stwierdza, że „w ciągu wieków dni i [..] tych stawały się coraz częstsze i uzasa[..] konieczność usunięcia z rzymskiego kale[..] rza pewnej liczby świętych, którzy nie [..] powszechnie znani" ponieważ pozwoli to [..] sać tam imiona innych męczenników z [..] nów do których głoszenie ewangelii do[..] z opóźnieniem".

„Poza obchodami ku czci Jezusa, Mado[..] apostołów itd. — pozostawiono 58 świąt [..] szechnie obowiązujących i 92 „do uzna[..] — pisze Horoszewicz — Przegląd tego [..] nie wykazu pozwala zapoznać się z „ada[..] cyjnym zmysłem" ludzi Kościoła: idą [..] z duchem czasów, uwzględniają potrzeby [..] morskie, zmniejszają rangę tradycji. [..] sunięcia na tej liście mogą dziwić czy n[..]

Ta książka to rozmyślania o życiu piosenkarki, o obyczajach artystycznych. To swoista spowiedź, a przede wszystkim głęboka wdzięczność dla ludzi – za ciepło i serdeczność.

(Z wywiadu dla prasy radzieckiej, 1972)

Wszyscy piszący do mnie dodawali mi otuchy i życzyli szybkiego powrotu do zdrowia. Nie sposób było odpowiedzieć chociaż na część listów i dlatego napisałam książkę, w której jest wszystko to, o co prosili moi sympatycy. Te listy pozwoliły mi mieć nadzieję, że kiedyś wrócę nie tylko do normalnego życia, ale i na estradę.

(„Zarzewie", 1973)

★

Szanowny Panie Redaktorze!

Było mi bardzo miło, że moje wspomnienia drukowane obecnie w „Tygodniku Kulturalnym" spotkały się z tak przychylną i życzliwą oceną na łamach Pańskiego dwutygodnika (Nr 343).

Drukowanie w odcinkach kryje jednak w sobie pewne niebezpieczeństwo. Poglądy autora na poruszane sprawy są zazwyczaj lepiej widoczne po przeczytaniu całości.

Dlatego też obawiam się, że przytoczone wyjątki z pierwszego odcinka mogą rzucić niewłaściwe światło na działalność „Pagartu". Byłoby mi z tego powodu przykro, bo przecież z dalszych odcinków wiele razy, przy różnych okazjach wynika, jak serdeczny jest mój stosunek do pracowników tej instytucji, w której stawiałam pierwsze kroki w mej karierze piosenkarskiej i gdzie spotykałam się zawsze ze zrozumieniem i pomocą.

Sprawa uregulowania natomiast problematyki estradowej, która została poruszona w serii artykułów pt. „Komu piosenkę" jest niewątpliwie bardzo istotna zarówno dla nas, wykonawców, jak i dla instytucji zajmujących się „rozrywką". Ja patrzę na to z mojego punktu widzenia i własnych odczuć i nie czuję się powołana do uogólnień, ale wydaje mi się, że jest to zagadnienie bardzo złożone i wymaga gruntownej i wszechstronnej analizy zarówno metod działania, jak i aktualnych warunków, uprawnień i przepisów.

Mam nadzieję, że w toku dyskusji, w której chyba wypowiedzą się zainteresowane instytucje oraz „estradowcy", sprawy te znajdą w końcu rozsądne rozwiązanie.

Dziękuję z góry za wydrukowanie mego listu i najserdeczniej Pana Redaktora pozdrawiam.

ANNA GERMAN

O PROGRAMIE
SPOTKANIA
Z ANNĄ GERMAN

Propozycja uczestniczenia w niedzielnych audycjach radiowych, w półgodzinnym odcinku *Spotkania z Anną German*, bardzo mnie zaskoczyła i jednocześnie uradowała. To coś nowego w charakterze mojej pracy, a nowe zawsze interesuje. Nie tylko więc śpiewam, ale także opowiadam o swoich piosenkach oraz przedstawiam różnych ludzi w jakiś sposób związanych z piosenką. Nie zawsze są to piosenkarze, jak na przykład Leonid Teliga, który jest nie tylko wspaniałym podróżnikiem i żeglarzem, lecz także… pięknie śpiewa, o czym dowiedziałam się przy okazji opracowywania audycji.

(„Synkopa", 1970)

Spotkania
z ANNĄ GERMAN
8 III godz. 14.00 p. I

ANNA GERMAN — piosen-
karka, Anna German — kom-
pozytorka i Anna German —
p r e z e n t e r k a r a d i o w a.
Już miesiąc temu poznaliśmy
p. Annę w tym ostatnim
wcieleniu: jej rozmówcą był
słynny żeglarz Leonid Teliga.
Z kim rozmawiać będzie w
niedzielę, 8 III, dowiedzą się
ci ze słuchaczy, którzy włą-
czą program I o godz. 14.09.
Zaś o godz. 18.35 w p. III Anna German przypomni ze swego repertuaru piosenki daw-
ne, własne nowe kompozycje,
a także arie operowe.

Zaczynamy od krótkiego wyjaśnienia: wprawdzie Autorka zamieszczonego poniżej wywiadu nieraz drukowała już swoje teksty na naszych łamach, ale obecnie zamieszczamy jej pierwszą korespondencję dziennikarską, napisaną specjalnie dla „Panoramy". Odtąd Anna German drukować będzie stale w niniejszej rubryce materiały o piosence, piosenkarzach, zespołach muzycznych i festiwalach, z zastrzeżeniem, że będą to często tylko jej prywatne opinie i uwagi.

Annę German znaliśmy jako doskonałą piosenkarkę. Dziś przedstawiamy jej debiut dziennikarski.

Ale przy okazji: Jak się czuje? Co robi? Wraca do zdrowia, dużo ćwiczy, by przyspieszyć rehabilitację. Chodzi już zupełnie dobrze (chociaż jeszcze z obawą) no i nosi ciemne okulary, albowiem odczuwa tzw. światłowstręt. Poza tym komponuje sama piosenki, ćwiczy głos, rysuje, napisała wspomnienia z pobytu we Włoszech. No i wreszcie zabrała się do reporterki, co nasi Czytelnicy przyjmą zapewne z dużą satysfakcją.

Anna German zaczyna wywiadem z Markiem Grechutą, którego (łącznie z zespołem Anawa) lubi za głos, za styl, za repertuar, świeżość i naturalność.

Anna German.

PIOSENKI
MARKA GRECHUTY

— Jak się zaczęła dla Ciebie piosenka?
— Stało się to, jak zwykle, przypadkiem. Podczas studiów na architekturze spotkałem kolegów przejawiających ryzykowne zamiłowania do stworzenia kabaretu.

Rodził się on na początku 1967 r. i otrzymał nazwę „Anawa" (spolszczone z francuskiego en avant) czyli naprzód), mającą oznaczać nowości i postępu na polskich scenach estradach.

Na pierwszej, historycznej dla nas premierze (maj 1967), wykonałem trzy swoje piosenki. Tekst napisał Jan Kanty Pawluśkiewicz. Przy zestawieniu pełnym numerów brawurowo bardzo śmiesznych, znalazły się chwile muzyki konieczne, jak uważaliśmy, dla wagi nastroju całości programu. Decydując się na postać tej piosenki lirycznej zadumanej przeczuwałem, że decyduję się tym samym na rodzaj piosenki, który będzie mi najbliższy.

Taki nietypowy skład zespołu i taka...

...my z Jankiem nadać wybierając poetyckim tekstom bogatakie, aby odróżnić je od innych, by z pośród wielu innych, śpiewać. A do stworzenia im tekstam pasowały smyczki i struny, skrzypcami, altówką, wiolonczelowy i nie rzadki, ale w stylu innych. Stąd też taka „Serca" i „Pomarańcz" — naszych piosenek.

— Jak powstają Twoje piosenki?
— Bardzo powoli, a to z różnych powodów. Sprawa nie jest prosta. Pomijam konieczność zajmowania się wieloma dodatkowymi zajęciami.

Przy tworzeniu nowego utworu zwracamy taką samą uwagę na muzykę, jak i na tekst. Tekst powinien znaczyć nie mniej niż muzyka, dlatego częściej, a na początku tylko i wyłącznie, „czyniliśmy" piosenki z ulubionych wierszy. Tak powstały piosenki z ulubionych wierszy i „Serce" (połączone z dwóch wierszy). Myśleń zaś tekstem było dzieło wspólnych myśleń z kolegą z kabaretu Markiem Czuryło (Tango Anawa). Nie bardzo lubie piosenki „pod piosenkę" tekstów, chociaż zwykle w takich sprawach ważna jest raczej muzyka. Szkoda tylko, że tekst staje się wtedy pretekstem. Jan Kanty i ja w tworzeniu muzyki — i pewnie bardzo ostrożny w swym repertuarze tak wielu utworów, mam lub inni młodzieżowi wykonawcy.

— A Twoje własne utwory?
— Trudno odpowiedzieć. Jeżeli coś sam wymyślam, muszę mieć bardzo ważny powód. Przy Tangu Anawa, do którego ważny kiem Czuryło słowa — chcieliśmy stworzyć piosenkę propagującą karabet je — upór zrobił swoje. Po pewnym czasie ktoś mi nadepnął na odcisk, krytykując (uważam akcenty nostalgii w mych utworach optymistyczne zresztą, że niesłusznie) i stąd i muzyka własna). Ostatnio napisałem też muzykę do wybranych fragmentów „Wesela" St. Wyspiańskiego oraz razem z Jankiem napisaliś-

Marek Grechuta, ulubieniec wszystkich melomanów.
Foto: Stanisław Bocza

— Opowi... popisów i szczyczną oraz ogromną rad... mniej niż wys... wam je inaczej...

W programie... chłonięty przez... wspaniałą zabaw... w telewizyjnym s... chę skrępowanym... do innego, nie swo... domem i bliską rod... postacie. Pozwól, ż... Ania Wójtowicz, Ad... Kanty i Michał Paw... Dziedzic.

— Jaką muzykę lubisz...
— Podziwiam geniusz... ale cenię również wszelk... we pociągnięcia naszej c... zrozumieć, mimo że nie za... cze jedno: bardzo cenię rze... rzeczy w muzyce niepowaz... I to na równi z tamtą. A ac... bym pozostać przy zasadzie "...

— Marzenia prywatne?
— Związane z przyszłością,... z piosenką — własny pokój z... Krakowie, dalsza współpraca ... wym składzie kabaretu z... przyjaciół mojej piosenki i zespo... znowu śpiewająca.

— Dziękuję, Marku. Postaram s... ostatnie Twoje życzenie jak najp... bardziej... że jest to i moje wielki... Życzę Ci spełnienia wszystkich... mierzeń i marzeń, a w związku ... pierwszym wyjazdem na koncerty do... Tobie i Twoim kolegom jak najmilszy... żeń!

ANNA GE...

DZISIAJ
ANNA
GERMAN
PISZE O

KATARZYNIE BOVERY

piosenkarce, która debiutowała przed laty na Śląsku, by szybko wejść do grona najlepszych wokalistek w kraju, znanych także za granicą.

Foto: Jerzy Strzeszewski

—W ciągu ostatniego roku bardzo rzadko występowałaś w Polsce. Wprawdzie raz powiadane rozrywkowych, ale daremnie czekałam przed telewizorem.

— Rzeczywiście, wyjeżdżałam często la, wyjeżdżałam daleko. W styczniu ub. r., byłam w ZSRR. W programie, który prezentowaliśmy niemal we wszystkich republikach ZSRR wystąpili też: Bronia Baranowska, Grażyna Czarnecka, Witold Antkowiak, Jan Pietrzak oraz Lew Lewterow — Bułgar, ożeniony z Polką i zupełnie zadomowiony u nas. W ciągu trzech miesięcy koncertowaliśmy w wielu miastach różnych republik ZSRR, wszędzie bardzo serdecznie przyjmowani. Zresztą sama wiesz, co to był w ZSRR. To jest chyba najwdzięczniejsza publiczność na całej kuli ziemskiej. Bardzo spontaniczna, wyrozumiała, ale i wymagająca. Byliśmy naprawdę usatysfakcjonowani.

— A jaki zespół muzyczny Wam akompaniował?

— Towarzyszył nam zespół muzyczny „Białe Kruki", z którym stale współpracuję już od trzech lat. Są to muzycy bardzo ambitni i zdolni. Rokuję im dobrą pozycję wśród zespołów rozrywkowych i akompaniujących. Chciałabym nagrać z nimi płytę. Mieliśmy też koncert w TV moskiewskiej, a ją aż nagrałam w Moskwie mały

krążek. Nasze koncerty zaszczyciły swą obecnością wiele znanych osobistości ze świata sztuki i nauki, między innymi Leonid Utiosow i Ary Sternfeld.

— Jak zniosłaś 40-stopniowe mrozy w Kazaniu?

— Mrozy nie były dla nas straszne, ponieważ publiczność przyjmowała nas... bardzo gorąco! Po skończonej trasie, już na wiosnę, przyjechałam z pełnym zdrowiu do Polski.

— I na pewno odpoczęłaś po tej gigantycznej trasie w ZSRR?

— Jakoś nie było czasu na odpoczynek. Między wyjazdami zagranicznymi współpracujemy z Estradą Łódzką. Dyrektorem jest p. Mieczysław Stefański, który sam jest aktorem i dlatego doskonale rozumie wykonawców. Zupełnie inaczej się pracuje, kiedy szef jest znawcą, kiedy się na rzeczy człowieczym. Jeździliśmy przez pewien czas z koncertami po Polsce przygotowując jednocześnie nowy program. W tym czasie wyjechałam z Wilna na festiwal piosenki, a tym razem jako członek jury. Śpiewałam także w telewizji NRD. Jesienią wyjechałam do USA z programem „Gwiazdy Polskiej Estrady". To był mój drugi wyjazd do USA i Kanady. Zadowolona jestem nie tylko z rezultatów tej podróży ale również z tej atmosfery jaka panowała w naszym zespole — (A. Janowska, M. Mikulski, Anthony Quinn, Paul Newman, H. Bielicka, J. Kwiatkowska).

— Jakie wrażenie zrobiła na tobie bezpośrednia transmisja z Księżyca?

— Byłam pod urokiem tego osiągnięcia amerykańskich z jednej strony i technika zabrała nam tak znakomitego rekruty się zbędny z piosenkach o młodzi.

— Czy masz zwierzę trochę w domu?

— Niestety, chciałabym się właśnie pożegnać, bo jutro wyjeżdżam z Warszawy, a w lutym z całym zespołem na pół roku do Danii. Po powrocie chciałabym wreszcie pomieszkać dłużej w kraju, realizować naszą publiczność, wreszcie marzenia o recitalu.

— A zatem szczęśliwej drogi i do zobaczenia. Twoim reczytaliśmy w Warszawie.

ROZMAWIAŁA:
ANNA GERMAN

Anna German w roli dziennikarki.

KATARZYNA BOVERY

CIĄG DALSZY ZE STRONY 13

„Skaldowie", „Partita", duet Kieres, artyści cyrkowi, Trio Egzotyczne).

— Jak Ci się płynęło „rejsem" Stefanem Batorym?

— Powiem szczerze, wolę „starego" Batorego. Nowy ma wprawdzie stabilizary, więc tak bardzo już nie kołysze, ale jednak na starym Batorym, jeśli romantyczniej! No, ale zaloga jest w dalszym ciągu ta sama. Jedynie zmienił się kapitan, ale i Jego poprzednik i wspaniały kapitan Pawenny. Wiesz, zostałam honorowym członkiem „Klubu Korka".

— Cóż to za klub?

— Założyl go sam kapitan Chrapkiewicz. Procedura trwała całe dwa dni. z zebraniami, rem prezesa itd. Następnie, gdy kapitan obdarował członków legitymacjami i korkami. Zwykłym porządkami do morza. Zabawa polega na tym, że kiedy ktoś w towarzystwie „leje wodę" „buja" — wyjmuje się bez słowa korek i go o palce kciuka owija i z niechcenia. Wiem, że nikt wie, to nie przestał.

— Zabawny pomysł. Czy możesz zostać członkiem Klubu Korka?

— Postaram Ci to zalatwić.

— Polonia przyjmowała nas bardzo serdecznie. Każdy z nas miał swój cel, do którego wytrwale dążyliśmy: ci oszczędzali na kupno aparatury, ja zamieniłam sobie złoty w krofon, ale... w rezultacie starczyło i tylko na filiżankę do reflektora i na film. Kupiłam książki Toma Jonesa, Humperdincka, Ray Charlesa, Arethy Franklin i A. Browna.

— Kasiu, zastanawy na chwilę przestań i wyjrzyj, podziwiał coś o sobie. Jesteś zawsze pogodna i wesoła. Znajomi i przyjaciele nazywają Cię „nasz rozweselacz".

— Tak, po prostu pamiętam o tym, że o uśmiech o zdrowie i młodość.

— Czy lubisz jeść?

— Wszystko, ale ze względów „zasadniczych" jem raczej mało. Gimnastyka się ostałało. A to dzięki Alicie Janowskiej, która codziennie o godz. 7.00 zarządza: na sali „Batorym" gimnastykę!

— Hobby?

— Kolekcjonuję stare telefony i tyleczki Dodam może, że nie jestem kleptomanką!

— Ulubieni aktorzy?

— Mikulski, J. Janowska, B. Krafftówna, Anthony Quinn, Paul Newman.

O PRZYJAŹNI
Z LEONIDEM TELIGĄ

ŻAGLE

NR 4 (122) ROK XI   KWIECIEŃ 1969   CENA 5 zł

Los podarował mi przyjaźń z Leonidem Teligą. Ten znakomity żeglarz opłynął Ziemię na swym małym jachcie Opty.

Poznaliśmy się dość niezwyczajnie. Gdy Leonid Teliga wyruszał w rejs, wziął ze sobą trochę ulubionych nagrań, wśród nich moją piosenkę *Deszczem, zawieją*. To piękny utwór o tym, że zawsze, nawet z najdalszej podróży, wrócimy do domu. Teliga nazwał ją *Tęsknotą*. Kiedy spotkaliśmy się, nie wiedziałam, o jakiej piosence mówi: Tam na oceanie ciągle słuchałem twojej *Tęsknoty*.

Gdy wracałam do życia, w tygodniku „Panorama" ukazał się wywiad ze mną. W tym samym numerze był artykuł o jego podróży. Teliga przeczytał go w konsulacie polskim gdzieś w południowej Afryce i napisał do mnie serdeczny, ciepły list: „Przed tobą też trudna podróż – ku zdrowiu. Gdy wrócę, wierzę, że spotkamy się".

DROGA DOOKOŁA ŚWIATA

Casablanca — Las Palmas 25.I.—12.II.67

Las Palmas — Barbados 16.III.—16.IV.67

Barbados — St. Lucia   7.V. — 8.V.67

St. Lucia — Grenada   16.VI. — 21.VI.67

Grenada — Cristobal   21.VI. — 1.VII.67

Cristobal — Balboa   8.VIII. — 27.VIII.67

Balboa — Galapagos   27.VIII. — 20.IX.67

Galapagos — Nuku-Hiva 28.X. — 30.XI.67

Nuku-Hiva — Tahiti   21.XII. — 31.XII.67

Tahiti — Bora-Bora   5.V. — 7.V.68

Bora-Bora — Fidżi   16.V.—7.VI.68

Fidżi — Dakar   29.VII.68—9.I.69

Dakar — Las Palmas   27.III.—16.VI.69

Las Palmas — Casablanca 20.IV.—29.IV.69

Razem Leonid Teliga przebył ponad 28000 Mm.

Spotkaliśmy się i od razu zaprzyjaźniliśmy. Był to człowiek, którego nie można było nie polubić. Miał mnóstwo entuzjazmu, wiele marzeń i prostą filozofię życiową, o której często myślałam w czasie choroby. Taką, jak w mojej piosence, którą zabrał w rejs.

Nie czekał na szczęśliwy dzień – cieszył się każdym drobiazgiem. To dawało mu siły, by przetrwać.

(Z wywiadu dla prasy radzieckiej, 1972)

W trudnych chwilach wielokrotnie przekonywałam się o tym, że jego filozofia życiowa może przynieść ulgę.

Każdy pragnie szczęścia, to naturalne. Możemy być stale szczęśliwi, jeśli nauczymy się dostrzegać w naszej powszedniości chwile szczęścia.

Teliga mówił, że nie ma ani minionego, ani przyszłego szczęścia. Jest tylko szczęście obecne, które trwa chwilę. Ale najważniejsze – umieć cieszyć się z tego, że żyjemy...

(Z wywiadu dla prasy radzieckiej, 1979)

O WYSPACH SZCZĘŚLIWYCH

Nie znałam osobiście Jana Laskowskiego, kiedy do mnie zadzwonił, ale nazwisko nie było mi obce. Ostatnio dużo mówiono o jego filmie *Zbyszek*. Kiedy spotkaliśmy się, przedstawił mi propozycję współpracy filmowej. I tak zaczęła się moja kolejna w życiu przygoda. Ostatecznie, po wielu dyskusjach, wybraliśmy sześć przeze mnie skomponowanych piosenek do słów: Konstantego Ildefonsa Gałczyńskiego, Stanisława Ryszarda Dobrowolskiego, Aliny Nowak, Krzysztofa Berlinga i Leonida Teligi.

W dniu, kiedy przekroczyłam próg atelier, poczułam się w swoim żywiole. Entuzjazm, dobra atmosfera, poświęcenie całego zespołu i troska, jaką mnie otoczono – wszystko to sprawiło, że nasza współpraca układała się znakomicie.

Kiedy zakończyliśmy zdjęcia, uczułam żal za czymś, co już minęło bezpowrotnie. Było mi naprawdę smutno, że następnego dnia nie pojadę do studia.

(„Ekran", 1970)

W filmie Wyspy szczęśliwe, 1970.

O PIERWSZYCH NAGRANIACH PO WYPADKU

Myślałam, że bardziej będę się cieszyła. Ale tak, jak do swojego nieszczęścia musiałam się przyzwyczaić (tak całkiem to się nigdy nie przyzwyczaiłam), tak i do szczęścia – bo w ten sposób trzeba to nazwać – będę się musiała przyzwyczajać stopniowo. W całej pełni dotrze to do mnie dopiero za jakiś czas. Odczuwałam przede wszystkim ogromne napięcie, potem zmęczenie, oczywiście trochę tremy wobec muzyków. Myślałam sobie, czy to się uda, czy będzie tak samo jak przedtem, czy nie gorzej.

(„Życie Warszawy", 1969/1970)

(59) MŁODZIEŻOWA LISTA PRZEBOJÓW

1. V. — 15. V. 71 r.

b.	akt.	Tytuł i wykonawca
2	1	ITALIAM !ITALIAM — Cz. Niemen
23	2	PLONĄ GÓRY, PLONĄ LASY — Czerwone Gitary
5	3	SHE'S A LADY — T. Jones
4	4	ME AND BOBBY MC GEE — Janis Joplin
6	5	O WCZESNYM WSTAWANIU — E. Grochowiecka
8	6	APEMAN — Kinks
15	7	HAVE YOU EVER SEEN THE RAIN — Creedance Clearwater Revival
3	8	DNI KTÓRYCH NIE ZNAMY — M. Grechuta i Anawa
9	9	UCZĘ SIĘ ŻYĆ — Czerwone Gitary
	10	HEY TONIGHT — Creedance Clearwater Revival
17	11	KOCHALI MY, KOCHALI — Skaldowie
	12	NIE PRZEJDZIEMY DO HISTORII — Trzy Korony
3	13	MY SWEET LORD — G. Harrison
11	14	LONELY DAYS — Bee Gees
	15	NIE JESTEŚ MOJA — Cz. Niemen
22	16	NOTHING RHYMED — Gilbert O'Sullivan
12	17	NA SIANIE — H. Frąckowiak
	18	ANOTHER DAY — Paul McCartney
25	19	NIEKOCHANE DZIEWCZYNY — Trubadurzy
	20	ALL THINGS MUST PASS — G. Harrison
	21	NOCNE CAŁOWANIE — Czerwone Gitary
10	22	VOODOO CHILE — Jimi Hendrix Experience
	23	RESURRECTION SHUFFLE — Ashton, Gardner and Dyke
14	24	IMMIGRANT SONG — Led Zeppelin
	25	DEEP BLUE SEA — J. Mayall
	26	CHWILA CISZY — Cz. Niemen
18	27	PARANOID — Black Sabbath
	28	MOTHER — Plastic Ono Band
2	29	KOROWÓD II — M. Grechuta i Anawa
	30	PRZECHADZKA — E. Grochowiecka

Oto nasza kolejna lista przebojów i pomocne przetasowania w tabeli. Wysłanie przodownictwa Czerwone Gitary i Czesław Niemen, wprowadzili na MLP – dzięki głosowaniu wielbicieli – po trzy piosenki. Wesela tylko kilka nowych utworów zaawansowanych, ale [...]

„Powrót Eurydyki" jest już faktem dokonanym. To wszystko, w co tak trudno było na nowo uwierzyć — próby, nagrania, wywiady prasowe — składa się dziś na powszedni dzień ANNY GERMAN, piosenkarki, która „zwyciężyła przeznaczenie".

Wkrótce potem, jak longplay z jej najnowszymi piosenkami zniknął z półek w sklepach muzycznych, a sala ZAIKS-u w Warszawie stała się widownią jej pierwszego recitalu — Anna German przyjechała do Katowic. W 50 rocznicę III Powstania Śląskiego — obchodzony po raz 26 Dzień Zwycięstwa, w mieszczącej 12 tysięcy widzów, nowej katowickiej Hali Widowiskowo-Sportowej zakwitły barwne stroje dziewcząt i chłopców z zespołu „Śląsk", wystąpili aktorzy Teatru im. Wyspiańskiego, wypełniając pieśnią i słowem 2-godzinny program „Tobie droga śląska ziemio". Pani Anna, przyodziana w piękny rozbarski strój ludowy, zaśpiewała dwie śląskie piosenki, pochodzące z okresu powstań: „Kajże mi się zapodział mój synecek" i „W zielonym gaju".

Zaproszenie do wzięcia udziału w galowym koncercie w Katowicach piosenkarka przyjęła z głębokim wzruszeniem. Opowiedziała nam o tym na wstępie rozmowy, zapoczątkowanej wizytą w redakcji „Panoramy" a kontynuowanej przez nas w kuluarach Hali Widowiskowo-Sportowej:

— Ta propozycja była dla mnie bardzo wielkim przeżyciem. Wdzięczna jestem organizatorom rocznicowych uroczystości, że dzięki zaproszeniu na koncert ku czci 50-lecia III Powstania Śląskiego, mogłam po raz pierwszy tak wspaniałym zespołem i tak ważnej dla każdego Polaka okazji. Przez cztery dni byłam gościem na Ziemi Śląskiej, z czego połowę spędziłam w Koszęcinie, w siedzibie zespołu „Śląsk". Mimo, że jest to mój pierwszy samotny wyjazd od czasu smutnej przygody i wypadku, ani przez chwilę nie czułam się samotna.

— Czy sama wybrała Pani te właśnie piosenki, które usłyszeliśmy w Pani wykonaniu na koncercie rocznicowym?

— Tak. Spośród pieśni, które mi zaproponowano, właśnie „Mój synecek" i „W zielonym gaju" spodobały mi się najbardziej. Dzięki opracowaniu muzycznemu Ireneusza Łojewskiego, brzmią one nie tylko pięknie i wzruszająco, lecz także bardzo dobrze mi się je śpiewa. Mimo ich odmiennego, góralskiego charakteru, włączę je na stałe do swego repertuaru.

— Zapewne, jako pierwsze utwory, pochodzące ze Śląska?

— No, niezupełnie. Przed kilkoma laty, gdy Katarzyna Gaertner rozpisała swoisty „konkurs" na piosenkę dla mnie — w rywalizacji z utworami nadesłanymi z różnych stron Polski zwyciężył utwór młodego studenta wówczas, podchorążego z Wyższej Szkoły Ekonomicznej — Jerzego Płaczkiewicza. Piosenka ta, zatytułowana „Nasza ścież- [...]

„Złoty Gwóźdź" sezonu 1970 dając mi w darze „Srebrny Gwóźdź". Tak mnie ucieszyło to sąsiedztwo, że postanowiłam podziękować „wyborcom" — i tu oczywiście piosenka. Zadzwoniłam do Józefa Prutkowskiego, jak wiadomo zagorzałego kibica drużyny z Zabrza i dosłownie tego samego wieczoru otrzymałam tekst, zaczynający się od słów „Górnik — Zabrze, a jakże".

— Czy można to potraktować jako zapowiedzi pojawienia się w Pani repertuarze piosenek błędnych, beztroskich i żartobliwych?

— Chyba tak. Między piosenkami lirycznymi, które są na pewno moim ulubionym „emploi", mam w repertuarze piosenki takie, jak „Mój stryjek" jest „hodowcą moli" do tekstu Jerzego Ficowskiego i „Generał odlany" do słów tegoż samego autora. Utwory z mojej ostatniej płyty, w których rozbrzmiewał ton bardzo osobisty, odebrane zostały przez słuchaczy, jako mój swoisty rozrachunek z dniem dzisiejszym. Wydaje mi się jednak, że śpiewałam nie tylko o sobie. Pewnych rzeczy nie sposób ominąć, człowiek — a zwłaszcza artysta — musi je wypowiedzieć do końca.

— I znowu przynosi Pani te [...]

— W Berlinie zachodnim wystąpiłam na zaproszenie tamtejszej radiofonii wespół z całą plejadą gwiazd naszej estrady, na imprezie zorganizowanym po raz pierwszy Międzynarodowego Festiwalu Piosenki w Buenos Aires. Będzie to równoczeście mój pierwszy pobyt na południowej półkuli. Pierwszy raz wystąpię też, wraz z Ireną Santor i Jerzym Połomskim, w Telewizji Sofia. Z mych z naszych przyjaciółek znad Morza Czarnego zaproponowałam piosenkę „A my dla siebie", którą akomponował bułgarski muzyk, absolwent warszawskiej PWSM — Pancso Bojadżiew, zaś tekst polski napisał Wojciech Młynarski. Muszę jednak wyznać, że bez tremy, że w Sofii zaśpiewam to... po bułgarsku.

— Wywiad byłby niekompletny, gdyby zabrakło jeszcze jednego pytania. Przecież za miesiąc Opole?... A więc, co w „mieście piosenek mówi?"

— W amfiteatrze opolskim, na IX KFPP, zaśpiewam piosenkę Wojciecha Piętowskiego do słów Jerzego Millera „Trzeba nam się pośpieszyć". Jest to utwór przewidziany na festiwalowej „Premierze Opole-71". Natomiast „Polskie Nagrania" zapowiadają, że w dniu finałowego koncertu „Mikrofon i ekran", pojawi się na festiwalowych stoiskach z płytą mój nowy longplay. Będzie on nosił tytuł drugie Opole?

ZNOWU Z PIOSENKĄ W ŚWIAT

O KOMPONOWANIU

Leżałam rok, potem drugi, przykuta do łóżka. Myślałam stale, że już jutro, naj-
później pojutrze będę mogła wstać, będę mogła śpiewać. Próbowałam zatem
ułożyć nowy repertuar. W tym właśnie czasie moja dobra znajoma Alina Nowak
podarowała mi – pisane z myślą o mnie – teksty piosenek i zaproponowała,
żebym napisała do nich muzykę. Początkowo wzbraniałam się – dar był zbyt
zobowiązujący, żeby zrobić to byle jak.

Teksty leżały i leżały – nie miałam odwagi podjąć się tej pracy. Wreszcie
spróbowałam: rezultat jest odnotowany na mojej ostatniej płycie [*Człowieczy
los*].

(*„Scena", 1970*)

Przyznaję, że tamte utwory były smutne – ale to był w ogóle smutny rozdział w moim życiu. Mam jednak w swoim repertuarze wiele pogodnych piosenek. Są one mniej znane, bo nienagrane na płyty. Faktem natomiast jest, że moje predyspozycje głosowe i wewnętrzne skłaniają mnie do piosenek lirycznych; dobrze mi one wychodziły, dlatego też autorzy zwykle takie mi proponowali.

(„Gospodyni", 1976)

Sądzę, że każdy wykonawca, jeżeli potrafi, powinien spróbować komponowania dla siebie, bo wtedy można najtrafniej wyrazić to, co się chce powiedzieć.

Moje piosenki są melodyjne, zostawiają pole do popisu głosowi, ale teksty mają tyle wartości, że strona muzyczna nie gra w nich najważniejszej roli.

(„Życie Warszawy", 1969)

Dobrze być jednocześnie autorem i wykonawcą piosenki. Łatwiej wówczas o zgodność utworu z możliwościami i temperamentem wykonawcy. Ale muszę przyznać, że praca nad „obcą" piosenką dostarcza równie wiele satysfakcji. Szczególnie wtedy, gdy odpowiednią interpretacją nada się piosence określony charakter i trafnie wydobędzie intencje autora. Szczerze mówiąc, moje próby kompozytorskie nie wyniknęły z powołania i przekonania o tym, że potrafię komponować. Po prostu z konieczności i potrzeby. Wracając powoli do zdrowia, nie mogłam przez długi czas myśleć o występach – a bardzo już tęskniłam za piosenką...

(„Stolica", 1970)

Nigdy nie mówię, że coś skomponowałam. Raczej ułożyłam melodię. Nie jestem przecież zawodowym kompozytorem. I tak mi mówić nie wolno. Inspiruje mnie zwykle jakiś tekst poetycki. Jeśli po przeczytaniu go w moich myślach zrodzi się coś na kształt melodii, staram się to utrwalić.

(„Sztandar Młodych", 1979)

STOLICA

Z WIZYTĄ U ANNY GERMAN — patrz str 8—9

Fot. Jacek Sielski

O PIOSENKACH Z CYKLU
CZŁOWIECZY LOS

Przez dwa lata [po wypadku] ćwiczyłam pamięć – nie pamiętałam tekstu żadnej piosenki. Potem spróbowałam śpiewać cichutko i krótko. Na dłużej brakło siły...

Kiedy leżałam w domu, zaczęłam układać muzykę. Najpierw bez fortepianu, w głowie. Potem przyjaciele zapisywali te nuty. Pierwszą piosenką był *Człowieczy los*.

(Z wywiadu dla prasy radzieckiej, 1970)

Moim znajomym te piosenki się podobają. Zresztą z oceną poczekam do czasu, kiedy wypowie się publiczność. Teksty napisała Alina Nowak. Wydaje mi się, że są bardzo dobre.

Dzięki Alinie spróbowałam komponowania, zasmakowałam w tym... Jestem jednak przede wszystkim wykonawczynią – i jeżeli te piosenki się sprawdzą, jeżeli się spodobają moim słuchaczom, to pomyślimy o czymś więcej.

(„Życie Warszawy", 1969)

Płyta pod wspólnym tytułem *Człowieczy los* zawierać będzie dwanaście nowych piosenek. Mają one dla mnie ogromne znaczenie, każdą z nich bowiem komuś poświęcam.

Piosenkę *Za grosiki marzeń* dedykuję mojej babci, *Trampowski szlak* jest dla Leonida Teligi, *Dziękuję, mamo* – dla matki, *Uroczysko* poświęcam Alinie Nowak. To właśnie ona, jeszcze przed moim wypadkiem, napisała słowa do piosenek *Skrzydlaty koń* i *Cyganeria*. Utwory te zawsze śpiewałam z wielką przyjemnością.

("Synkopa", 1970)

Szczególnie jest mi bliska piosenka *Dziękuję, mamo*. Dawno o niej marzyłam. Chciałam opowiedzieć o mojej mamie, która samotnie mnie wychowała i jest mi najbliższa. Poprosiłam Alinę o napisanie tekstu. Bałyśmy się banalności – tylu już śpiewało o matce...

Piosenka udała się. Podoba się i mnie, i mamie.

(Z wywiadu dla prasy radzieckiej, 1970)

Utwory z mojej ostatniej płyty, w których rozbrzmiewał ton bardzo osobisty, odebrane zostały przez słuchaczy jako mój swoisty rozrachunek z dniem wczorajszym. Wydaje mi się jednak, że śpiewałam nie tylko o sobie. Pewnych rzeczy nie sposób ominąć. Człowiek – a zwłaszcza artysta – musi je wypowiedzieć do końca.

("Panorama", 1971)

Problematyka piosenek wiąże się ściśle z tym tytułem. Mówią one o szczęściu, radości, także o smutku, miłości do matki, do ukochanego...

Myślę, że słuchacze znajdą w nich również odbicie własnych doznań. A o to przecież chodzi w piosence, by była bliska słuchaczom.

("Stolica", 1970)

CZŁOWIECZY LOS

ANNA GERMAN   fot. J. Płoński

Słowa: Alina Nowak   Muzyka: Anna German

Człowieczy los nie jest baj-ką, a-ni snem, człowieczy los jest zwyczajnym, szarym dniem, człowieczy los niesie trudy żal i łzy. Po-mi-mo to można los zmienić w do-bry lub zły. U-śmie-chaj się... do ka-żdej chwi-li u-śmie — — chaj, na dzień szczęśli-wy nie cze — kaj, bo kre-su na-dejdzie czas, nim u-śmiechniesz się cho — ciaż raz!

Z LISTÓW DO ANNY KACZALINY

Z najbliższą przyjaciółką Anną Kaczaliną.

Wiesz, Miła, dlaczego mi tu [we Włoszech] smutno? Nikt nie zrozumie i nie uwierzy. Ludzie inni i serca także. A najczęściej ich w ogóle brak. Bardzo bym chciała przyjechać do Was, do Ciebie, ogrzać się. Już zupełnie zmroziły mnie ich uśmiechy.

Od chwili gdyśmy się zaprzyjaźniły, Moskwa przestała być dla mnie obcym, dalekim miastem. W Moskwie – myślę sobie – mieszka Ania Kaczalina, nie zwyczajna przyjaciółka, lecz prawie siostra, bliski człowiek.

Miła Aniu, nie przysyłaj mi więcej pantokrinu. Znajomy lekarz powiedział mi, że nie wolno go pić jak kompot i należy czasem zrobić przerwę. Czuję się coraz lepiej, tylko kolana i ręce uparły się. Ale śpiewam, śpiewam prawie jak przedtem. Co prawda, sił nie starcza i po 2–3 piosenkach czuję się zmęczona, jakbym myła podłogę. A przecież kiedyś mogłam śpiewać dzień i noc. Starzeję się czy co?!

Dokąd się wybierasz na Nowy Rok?, gdzie go będziesz spotykała?, w jakiej sukni, Aniu? Teraz, gdy jeszcze nie mogę nawet myśleć o tym, żeby gdzieś pójść, nagle zaczęło mnie interesować, jak będą się bawić moi przyjaciele.

Aniu, to, co najgorsze – za mną. I teraz rok 1970, czekają mnie tylko dobre rzeczy – moja ukochana praca. A wiesz, ludzie mówią, że „niby to śpiewam lepiej niż przedtem". Oczywiście to nie tak. Ale chwała Bogu, że nie gorzej. Prawda, moja Miła?

Kiedyś były to tylko marzenia, a teraz już wszystko stało się całkowicie realne. Atmosfera na próbach dobra – to dla mnie bardzo ważne. I teraz właśnie wybieram się na próbę.

Ech, Aniu, nawet nie wiesz, jak dużo zdrowia i dobrego samopoczucia dała mi Twoja przyjaźń. Będziemy się więc już teraz, Aniu, przyjaźniły do samego „finału", prawda?

(„Przyjaźń", 1983)

Z moskiewskimi przyjaciółmi
w domu Anny Kaczaliny.

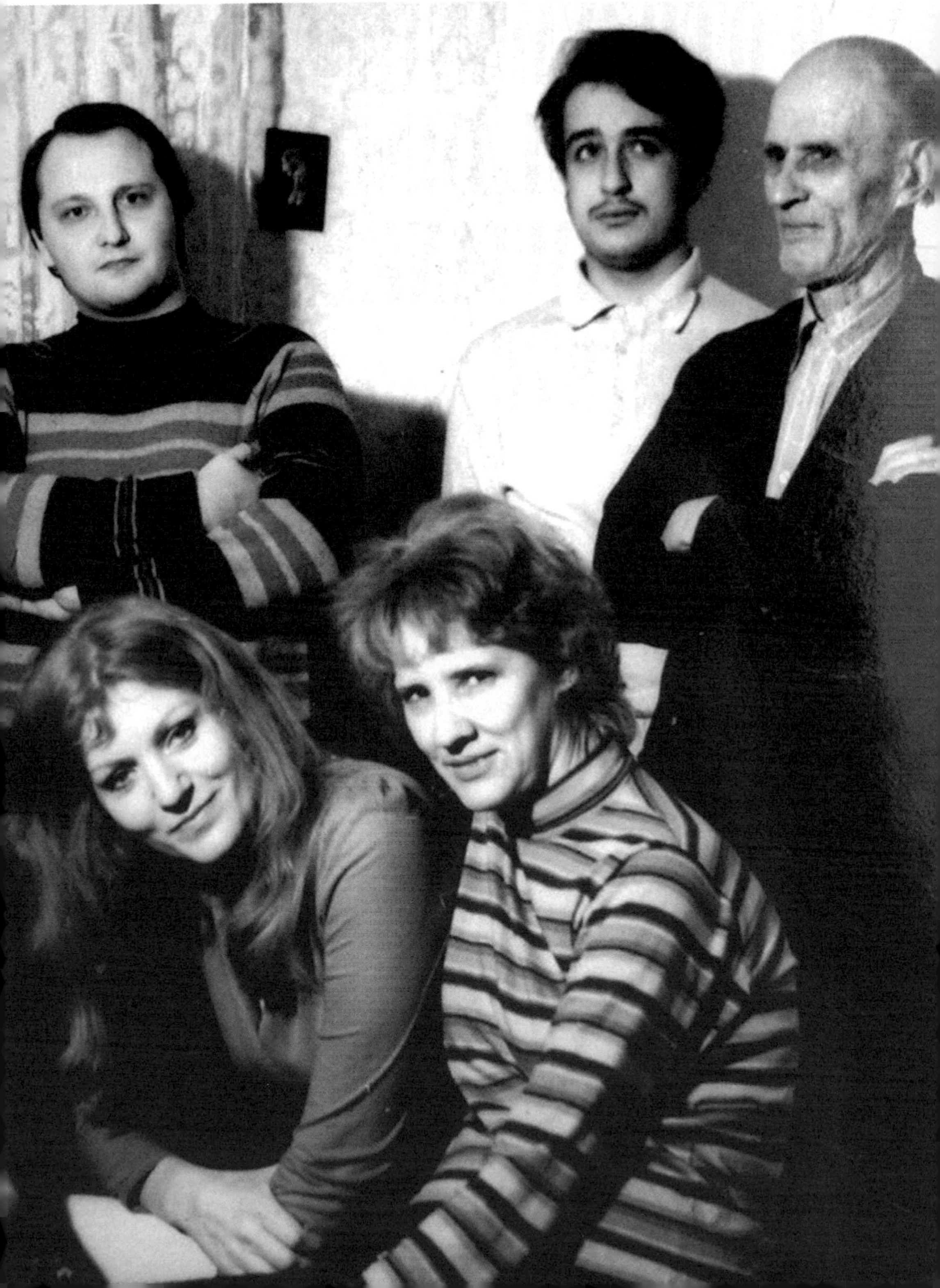

O OTRZYMANIU TYTUŁU NAJPOPULARNIEJSZEJ WARSZAWIANKI ROKU 1970

To dla mnie ogromne zaskoczenie, bo nie spodziewałam się, że coś takiego może nastąpić. To duży zaszczyt i wyróżnienie ze strony słuchaczy dziennika *Szósta po południu.*

Nie chciałabym zostać posądzona o fałszywą skromność, ale w Warszawie jest tyle kobiet, które swoją postawą życiową, swoją pracą zasługują na to wyróżnienie... Na swoje usprawiedliwienie mam jedynie to, że zawsze trochę wystaję ponad tłum, bo to i wzrost, i praca w radio i telewizji daje tę popularność...

(Z audycji radiowej, 1970)

Jestem warszawianką dopiero od dwóch miesięcy, to znaczy legalną, z zameldowaniem na stałe. A nielegalnie już od wielu lat. Pokochałam Warszawę gorąco i związałam się z nią. Wszystko zaczęło się od *Podwieczorku przy Mikrofonie.* Przyjechałam tutaj na swój pierwszy publiczny występ na antenie Polskiego Radia, w programie ogólnopolskim, w *Kąciku debiutów.*

(Z audycji radiowej, 1971)

Pierwsze moje „prawdziwe" nagranie to było *Wróć do Sorrento*, które śpiewałam z orkiestrą Stefana Rachonia.

(„Panorama", 1971)

Przyjeżdżałam do Warszawy, aż w końcu zgubiłam tu swoje serce i znalazłam szczęście osobiste. Potem była smutna dla mnie przygoda włoska. Po kilku latach wyzdrowiałam – tutaj.

Rzeczywistość jest dla mnie tak łaskawa, że chciałabym, aby potrwała jak najdłużej.

Często wracam do Wrocławia, bo tam jest moja mama i babcia, ale już bym chciała zostać tu, w Warszawie.

(Z audycji radiowej, 1971)

Najpopularniejszej Warszawiance roku 1970
Pani Annie German
wybranej w plebiscycie Polskiego Radia

Redakcja „Szósta po południu "

Warszawa marzec 1970

O MATCE I BABCI

Bardzo wcześnie straciłam ojca. Wszystkie obowiązki, które pełni głowa rodziny, musiała przejąć moja matka. Pracowała zawodowo od rana do nocy, żeby nam [Annie i jej babci] zapewnić tak zwany byt. Na miłość, na zabawę, na bezpośredni, bliski kontakt z własnym dzieckiem właściwie nie było już czasu.

Moja matka jest pedagogiem. Obowiązek i radość wychowywania spadły na moją babcię.

Obie kochałyśmy babcię gorąco – mama swoją matkę, a ja babcię właściwie trochę jak matkę i najukochańszą babcię jednocześnie. Moja postawa życiowa, stosunek do świata i ludzi jest w pewnej mierze odbiciem myśli i sposobu życia oraz pojmowania świata babci.

(Z audycji radiowej, 1978)

Kochałam ją [babcię] nad życie… Dzięki niej nie uległam współczesnej modzie na papierosy i alkohol! Dała mi bardzo dużo.

(Z wywiadu dla prasy radzieckiej, 1980)

Już jej [babci] nie ma z nami, zmarła kilka lat temu [w 1971 roku], ale więzy były tak bliskie, tak ciepłe, że do tej pory, kiedy jestem w jakiejś trudnej sytuacji, kiedy muszę o czymś decydować albo gdy przychodzi do mnie jakaś wielka radość, podświadomie myślę: Pójdę do domu i opowiem o wszystkim babci.

Moja mama nie może mieć mi za złe, nie może mieć o to żalu, bo to przecież jej matka.

Mama jest wspaniałą kobietą. W tych najtrudniejszych chwilach umiała sobie poradzić, pomóc nam wszystkim po prostu utrzymać się przy życiu, bo tak to w czasach wojennych wyglądało.

Kocham ją bardzo.

(Z audycji radiowej, 1978)

Matka i babcia Anny.

Z LISTÓW
DO MATKI I BABCI

Toronto, 21 VI [19]65

Moja Kochana!
Martwię się, bo nie piszesz. Co nowego u Was? U mnie bez zmian. Dziś przyszłam bardzo zmęczona z pracy, 12 godzin, nogi bolą, ale muszę na razie spłacić dług i w tym kierunku wytężam wszystkie siły.
Nie gniewaj się o nic na mnie, na razie tak tylko musi być!
Kocham Was mocno, tęsknię do Was bardzo.
Całuję mocno
Ania

[Chicago, 1965]

Moja najdroższa Mamusiu i kochana Babciu.
Jeszcze został mi tylko tydzień na ziemi amerykańskiej. Cieszę się już bardzo na powrót do domu. Wszystko jest w porządku, jestem zdrowa i myślę, że i Wy, kochana Mamusiu i Babciu, jesteście zdrowe.
Idę teraz do sklepu i kupię coś ładnego.
Bądźcie zdrowe, moje kochane. Całuję najserdeczniej
Wasza Ania

[bez daty]

Moja najukochańsza Mamusiu,
Posyłam Ci po prostu tę pocztówkę, bo bardzo mi się podobała – Tobie też?
Mocno, mocno Cię całuję i bądź wesoła, moja kochana
Twoja Ania

[Warszawa, 1969]

Moje kochane.
Spakowałam właśnie paczkę i Zbyszek zaraz ją wyśle.
Idziemy teraz do Jego kolegi na pobranie krwi i zrobienie analiz. Jutro będzie wynik, to zaraz napiszę – co tam u mnie we krwi nowego!
Mocno całuję
Wasza Ania

Anna i Zbigniew Tucholscy.

Ślub ze Zbigniewem Tucholskim, Zakopane, 23 marca 1972.
Od lewej: Stanisław Podgórski, Anna, Zbigniew Tucholski i Michał Gryziński.

RZECZPOSPOLITA POLSKA

Województwo .małopolskie.......................

Urząd Stanu Cywilnego w .zakopanem.........................

ODPIS SKRÓCONY AKTU MAŁŻEŃSTWA

I. Dane dotyczące osób zawierających małżeństwo:

	Mężczyzna	Kobieta
1. Nazwisko	Tucholski	German
2. Imię (imiona)	Zbigniew Antoni	Anna Wiktoria
3. Nazwisko rodowe	Tucholski	German
4. Data urodzenia	30 grudnia 1930 r.	14 lutego 1936 r.
5. Miejsce urodzenia	Gniezno	Urgencz

II. Dane dotyczące daty i miejsca zawarcia małżeństwa:

1. Data dwudziestego trzeciego marca tysiąc dziewięćset siedemdziesiątego drugiego (23.03.1972) roku

2. Miejsce Zakopane

III. Dane dotyczące rodziców:

A. Ojciec 1. Imię (imiona)	Czesław	Eugeniusz
2. Nazwisko rodowe	Tucholski	German
B. Matka 1. Imię (imiona)	Wanda Józefa	Irma
2. Nazwisko rodowe	Palacz	Martens

IV. Nazwisko noszone po zawarciu małżeństwa:

1. Mężczyzny Tucholski

2. Kobiety German-Tucholska

3. Dzieci Tucholski(a)

V. Adnotacje o ustaniu, unieważnieniu lub separacji małżeństwa:

Poświadcza się zgodność powyższego odpisu
z treścią aktu małżeństwa Nr 57/1972

Zakopane , data 11.05.2012

m.p.

KIEROWNIK
Urzędu Stanu Cywilnego

Agnieszka Gąsienica-Samek

M-13 „DRUK-HURT", Łódź (0-42) 682-24-11

[Warszawa, 1970]

Kochana Mamusiu i Babuniu,
Próba się udała. Wszystko w porządku.
Mocno całujemy
　　　Ania i Zbyszek

[Kraków], 14 II [19]72

Kochana Mamusiu.
　　U mnie wszystko w porządku. Otrzymałam Twój list i kartkę. (...) Mam
bardzo przyjemny pokój. Śpię sobie, ile wlezie. (...) Pogoda zupełnie wiosenna.
Może to już koniec zimy?
　　Dziś są moje urodziny... (...)
　　Całuję Cię Mamusiu mocno
　　　Twoja Ania

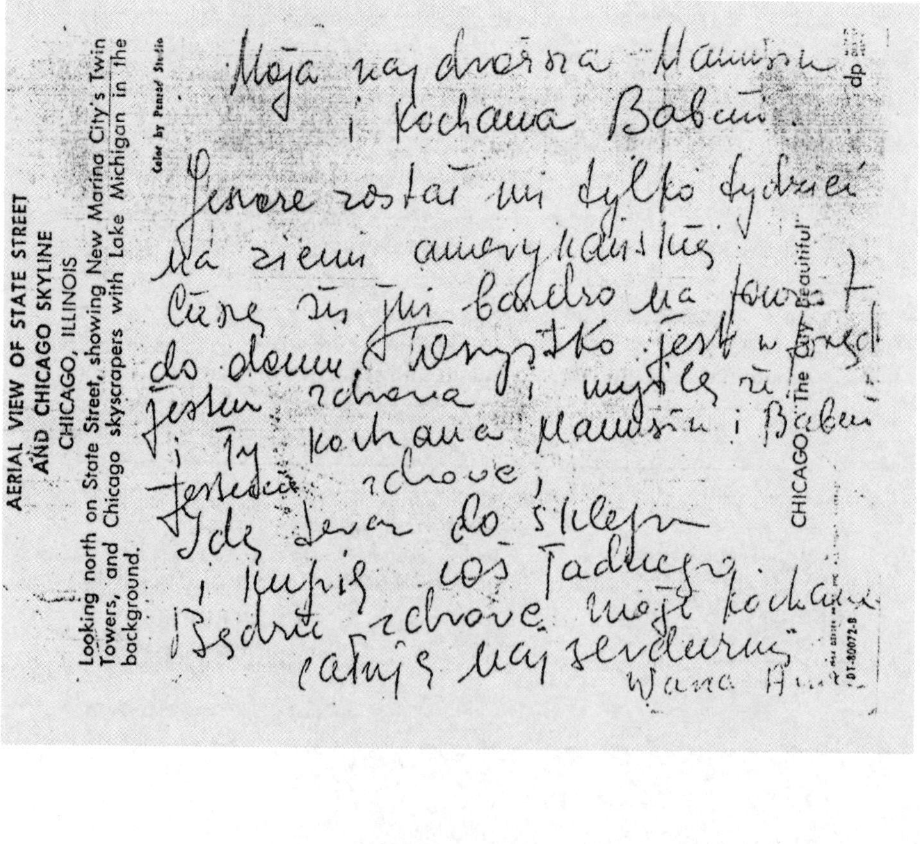

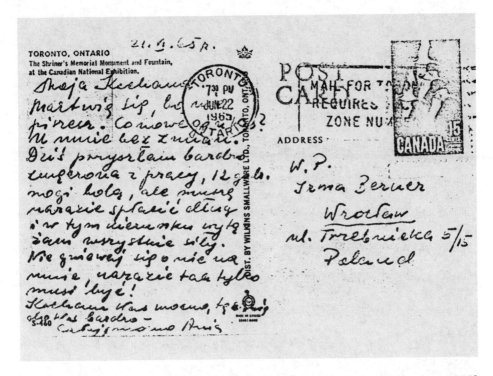

TORONTO, ONTARIO
The Shriner's Memorial Monument and Fountain,
at the Canadian National Exhibition.

[Zakopane, 1972]

Cześć, Mamuniu!

W tym hotelu [Cracovia] mieszkałam w Krakowie. Chyba najlepszy, jaki znam w mojej „karierze". Ten tutaj, w Zakopanem, jest też bardzo przyjemny. My tu mamy w dalszym ciągu wiosnę na całego!!!

Całuję Cię Mamusiu, smacznego!

Ania

[W czasie pobytu w Zakopanem Anna i Zbigniew wzięli ślub.]

[Piatigorsk, 1978]

Kochana Mamusiu,

Dziś gramy w Piatigorsku. Szkoda, że wieczorem nic nie zobaczymy z okolic, które opisywał Lermontow.

Całuję Cię mocno

Ania

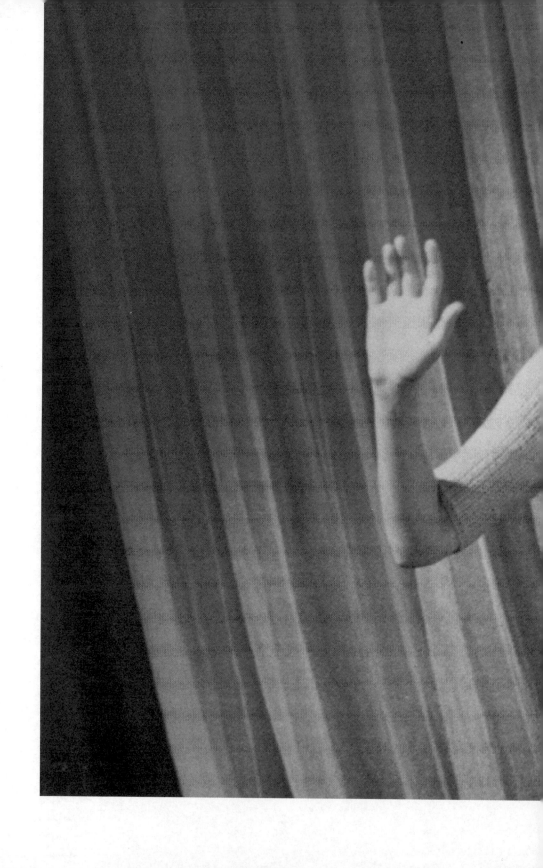

O ŚPIEWANIU

Nigdy nie uczyłam się śpiewu. Nie wyrywam się z tym oświadczeniem, bo zwykle mi nie wierzą, uważają to za rodzaj kokieterii... A to po prostu z natury postawiony głos. Owszem, uczę się piosenek, ustawiam je sobie... Sama... Przed lustrem...

(„Itd", 1966)

Gdy śpiewam, odnajduję sens mego życia i pracy. Zabrzmiało to może nieco patetycznie, ale piosenka naprawdę bardzo mnie obchodzi.

(„Stolica", 1970)

Śpiew jest dla mnie radością życia. Lubię śpiewać dla publiczności mającej wyrobiony gust i smak. Nie uznaję żadnych łatwizn, nie wybieram utworów banalnych. Lubię piosenki kabaretowe, nowoczesne, ale o ładnej melodii, liryczne. Unikam piosenek sentymentalnych.

(„Zorza", 1980)

Przykuta do łóżka – mogłam tylko pisać, stąd pamiętnik i wywiady do prasy; gdy zaczęłam chodzić – prowadziłam spotkania i prezentacje na antenie. Aktorką zostałam przypadkowo – któż nie chciałby zagrać u [Andrzeja] Wajdy?! Przyszło, odeszło, pozostała miłość do piosenki.

Piosenka jest dla mnie radością pomagającą mi żyć, łączącą z ludźmi.

Będę śpiewać tak długo, jak długo będę się czuła potrzebna i akceptowana.

(„Synkopa", 1979)

Bardzo dobrze, jeśli piosenka jest wykonywana przez wielu artystów. Świadczy to, że utwór jest dobry i każdy znajduje w nim coś nowego. Rzeczywiście kilka moich piosenek weszło do repertuaru innych piosenkarzy, lecz tak naprawdę, słuchając „swojej" piosenki, w głębi serca czułam ból...

(„Sztandar Młodych", 1979)

POLAMART
INTERNATIONAL
ENTERPRISES

Agency for the Performing Arts ...

Anna GERMA ι

Wyrazy uznania i podziękowanie

za udział w imprezie . .

"Podwieczorku przy Mikrofonie" p.t.

"GÓRĄ, NASI"

zorganizowanej z okazji roku olimpijskiego

przez Artystyczną Agencję

POLAMART INTERNATIONAL ENTERPRISES, INC.

Tadeusz Mielnicki
— DYREKTOR NACZELNY

U.S.A.   1976   KANADA

NOWY YORK · 23 MAJA · 1976

Jestem za piosenką melodyjną, subtelną, mądrą. Chcę, by piosenka rodziła w sercach słuchaczy piękne uczucia, żeby pomagała żyć i przezwyciężać trudności. Aby nie tylko cieszyła serce, ale prowadziła do poszukiwań i rozmyślań.

(Z wywiadu dla prasy radzieckiej, 1972)

Piosenki jak ludzie – każda ma swoją historię.

Śpiewam tylko te piosenki, które są zgodne z moim charakterem, które czuję. Wydaje mi się, że gdybym włączyła do swego repertuaru coś, co mi nie odpowiada, nie wyszłabym z tym na scenę...

(Z wywiadu dla prasy radzieckiej, 1975)

Nigdy nie śpiewałam dużo, ale wynikało to stąd, że często, otrzymawszy zaproszenie na koncert, pytałam organizatora o akompaniament i w odpowiedzi słyszałam: „Ano, będzie jakiś tam zespół albo pianista". W telegramach pytano, czy wystąpię, nigdy prawie nie informując, jaka orkiestra będzie grała. A dla mnie to sedno sprawy.

Jeśli mam zaśpiewać dobrze, nie mogę wyjść nieprzygotowana, bez żadnej próby, bez znajomości orkiestry czy akompaniatora. Teraz marzę o stałym zespole, ale jest to marzenie nierealne. Przynajmniej na razie.

(„Scena", 1970)

Kiedyś w telewizji mediolańskiej odbywał się konkurs trzech pokoleń. Dziadek na przykład śpiewał babci serenadę – tę samą, którą śpiewał w młodości. Wnuczka musiała pokroić tort, nałożyć na talerzyki i podać...

Między poszczególnymi zadaniami występowali piosenkarze, także ja. Kiedy zaśpiewałam po włosku *Nie spiesz się* Arno Babadżaniana, podszedł do mnie siwy starszy pan i powiedział: Signora, pani śpiewa zupełnie inaczej niż teraz jest przyjęte. Pani śpiewa jak w czasach mojej młodości – sercem. Dzisiaj modne jest zagłuszanie krzykiem tego, co chce powiedzieć serce, a u pani to słychać. Zapraszam panią do nas na Sycylię.

Nagrody na festiwalach cieszą, ale gdy usłyszy się takie słowa – wyrastają skrzydła.

(Z wywiadu dla prasy radzieckiej, 1972)

Chciałabym śpiewać całe życie, ale nie tak, by słuchacze mówili: Co, znów ona?!, lecz: Aaa, ONA, no to posłuchajmy...

Bardzo chciałabym na to zasłużyć.

(„Jazz", 1964)

O ZAWODZIE PIOSENKARZA

Chyba najtrudniejsza jest konieczność przystosowania się do specyficznego trybu życia polegającego na częstych wyjazdach, pośpiechu, natychmiastowej gotowości psychicznej, wielu godzinach prób dziennie, a przez to trochę „postawieniu na głowie" życia prywatnego. Myślę, że trzeba się urodzić z pewnymi cechami psychofizycznymi albo traktować ten zawód jako największą życiową miłość.

(„Panorama", 1979)

Cieszy mnie, że ludzie nadal chcą słuchać tego, co mam im do przekazania. Tak rozumiem mój zawód. Wymaga on wielu wyrzeczeń, nieustannej gotowości psychicznej i fizycznej. Ciągłe stresy, napięcia, wyjazdy pochłaniają niemal bez reszty. Ten zawód wymaga również ogromnej pracy. Nad sobą i repertuarem.

Wydaje mi się, że w pamięci słuchaczy pozostanę nie poprzez wywiady w prasie czy inne tego rodzaju okazjonalne spotkania, a właśnie dzięki rezultatom mojej pracy. Przy tym trzeba pamiętać, że śpiewam już piętnaście lat. Muszę nie tylko być stale dobra, ale i lepsza. Muszę obronić to, co już zdobyłam...

(„Sztandar Młodych", 1979)

Według mnie piosenkarstwo to jest taki zawód jak inne. Trzeba po prostu dobrze go wykonywać.

Gdyby można zaśpiewać i zniknąć, ale to niestety niemożliwe. To taki zawód, że trzeba spotykać się z widzami, co jest bardzo miłe, ale zabiera i czas, i zdrowie. Nie występuję zbyt często – inaczej nie starczyłoby mi sił, żeby żyć.

(Z wywiadu dla prasy radzieckiej, 1975)

Brak opieki, zespołu, skazanie w poszukiwaniach artystycznych wyłącznie na samą siebie, to bolączki „dnia powszedniego" polskiego piosenkarza, na które uskarża się wielu moich kolegów i koleżanek. Nie jestem jedyna, która zapytana o status społeczny, odpowie: Ja? Przy mężu.

Gdybym miała swój zespół, udowodniłabym, że nie jestem wyłącznie tą, która wzrusza. Pociągają mnie także ballady, poezja śpiewana...

(„Sztandar Młodych", 1979)

Piosenkarz jest we współczesnej sztuce bardzo popularną postacią. Powinien być osobowością, mieć coś do przekazania innym. Jeśli nie ma – nie powinien wychodzić na scenę.

Dzisiaj trudno istnieć na estradzie. Pozostają tylko ci, którzy mogą wyrazić uczucia i myśli współczesnego człowieka. A maniera, styl śpiewania – mogą być różne.

(Z wywiadu dla prasy radzieckiej, 1978)

Wiem z całą pewnością, że żadne inne zajęcie nie mogłoby mi sprawiać podobnej przyjemności, dawać tyle satysfakcji, że żadnego innego zawodu nie pragnęłabym wykonywać. Zawsze lubiłam śpiewać. Robiłam to wyłącznie na zasadzie czystej przyjemności – dla siebie. I nawet mi nie przyszło do głowy, że może być inaczej. Nie myślałam, że śpiew będzie moim zawodem.

(„Gospodyni", 1976)

Nie umiem żyć bez swojej ukochanej pracy. Bez śpiewu mi źle...

(Z wywiadu dla prasy radzieckiej, 1972)

To prawda, że mam możliwości wyjazdów za granicę, że występowanie na estradzie, a zwłaszcza w telewizji daje nam szanse zdobycia tak zwanej renomy. Ale to wszystko jest wynikiem ciężkiej pracy. Przecież dobre przygotowanie piosenki trwa nieraz kilka tygodni, a nawet dłużej. Szczególnie męczące są wielogodzinne próby w telewizji oraz nagrania. Wyjazdy zagraniczne też nie są żadnym fruktem. Częste koncerty, uciążliwe podróże powodują, że niewiele można zobaczyć. Mimo wszystko mam zawód bardzo atrakcyjny, choć z pewnością niełatwy.

Utrzymanie się na pewnym poziomie wymaga nieraz rezygnacji z życia osobistego. Taki jest ten nasz zawód, chociaż z drugiej strony pasjonujący i piękny. Dla niego zrezygnowałam z geologii, którą też lubiłam.

(„Zarzewie", 1973)

O UMIEJĘTNOŚCIACH AKTORSKICH W ZAWODZIE PIOSENKARZA

Na pewno piosenkarz musi mieć tyle umiejętności aktorskich, aby najbardziej przekonująco opowiedzieć losy bohatera, o którym śpiewa. Jest to tym trudniejsze, że aktor ma na zbudowanie roli czy dramatu postaci dwie godziny na scenie, piosenkarz tylko trzy, cztery minuty. Stąd potrzeba ogromnej koncentracji, utożsamienia się z postacią, szybkiego nadania kształtu piosence.

Są pewne granice piosenkarstwa, których nie ośmielam się przekraczać. Może tylko na razie. Nie odpowiada mi odsłanianie się do końca, pewien dość często przez innych manifestowany ekshibicjonizm. Podziwiam ekspresję Ewy Demarczyk, Ałły Pugaczowej, ich aktorstwo estradowe, lecz nie jest to rodzaj sztuki, który by mi odpowiadał.

(„Sztandar Młodych", 1979)

O PIOSENKACH ŚLĄSKICH I ŻOŁNIERSKICH

Propozycja udziału w programie *Tobie, droga śląska ziemio* była dla mnie bardzo wielkim przeżyciem… Wdzięczna jestem organizatorom rocznicowych uroczystości, że dzięki zaproszeniu na koncert ku czci pięćdziesięciolecia III Powstania Śląskiego, mogłam zaśpiewać z tak ważnej dla każdego Polaka okazji i z tak wspaniałym zespołem…

Przez cztery dni byłam gościem na Ziemi Śląskiej, z czego połowę w Koszęcinie, w siedzibie zespołu Śląsk. Mimo że jest to mój pierwszy samotny wyjazd od czasu smutnej pamięci wypadku, ani przez chwilę nie czułam się samotna.

Spośród pieśni, które mi zaproponowano, *Kajze mi się zapodział mój synoczek* i *W zielonym gaju* spodobały mi się najbardziej. Dzięki opracowaniu muzycznemu Ireneusza Łojewskiego brzmią nie tylko pięknie i wzruszająco, lecz także bardzo dobrze mi się je śpiewa. Mimo ich odmiennego, dość niecodziennego dla mnie charakteru, włączę je na stałe do swego repertuaru.

Nie są to moje pierwsze piosenki pochodzące ze Śląska. Przed kilkoma laty, gdy Katarzyna Gärtner rozpisała swoisty konkurs na piosenkę dla mnie – w rywalizacji z utworami nadesłanymi z różnych stron Polski – zwyciężył utwór

Z Reprezentacyjną Orkiestrą Wojska Polskiego pod dyrekcją Bolesława Szulii.

Na Festiwalu Piosenki Żołnierskiej
w Kołobrzegu, 1972.

młodego katowiczanina, podówczas studenta Wyższej Szkoły Ekonomicznej, Jerzego Płaczkiewicza. Piosenkę tę, zatytułowaną *Nasza ścieżka*, nagrałam na jednej ze swoich płyt. Ostatnio śpiewałam nową jego rzecz – *Nie pojadę do Sorrento*.

(„Panorama", 1971)

Piosenka żołnierska to ciekawy, nowy rozdział w moim śpiewaniu. Przed trzema laty zostałam zaproszona do współpracy z Reprezentacyjną Orkiestrą Wojska Polskiego. Zgodziłam się i nie żałuję. Orkiestra ma bardzo piękne brzmienie, a poza tym dobrze czuję się w tym repertuarze. Odbyliśmy już wspólnie wiele koncertów, wyjeżdżaliśmy także na występy do NRD.

(„Panorama", 1975)

MINISTER OBRONY NARODOWEJ
generał armii Wojciech JARUZELSKI

zaprasza

Obywatelkę Annę GERMAN

na

pokaz morskich ćwiczeń taktycznych

z okazji

XXX-LECIA LUDOWEJ MARYNARKI WOJENNEJ

organizowanych w dniu 23 czerwca 1975 r.

O PŁYCIE
WIATR MIESZKA
W DZIKICH TOPOLACH

Przygotowuję czwarty longplay, który prawdopodobnie ukaże się na rynku przed festiwalem opolskim. Znajdą się na nim między innymi dwie piosenki J.[erzego] Ficowskiego – *Taka prawda nieprawdziwa* (muz. M.[arka] Sarta) i *Wiatr mieszka w dzikich topolach* (muz. M.[arka] Sewena), piękny, liryczny utwór Z.[bigniewa] Staweckiego i R.[yszarda] Sielickiego – *Warszawa w różach* oraz filozoficzna w treści piosenka J.[erzego] Millera i W.[ojciecha] Piętowskiego – *Trzeba się nam pospieszyć* i również Millera do muzyki L.[eszka] Bogdanowicza – *Kochaj mnie taką, jaka jestem*. Ponadto trzy własne kompozycje, z których szczególnie bliska jest mi piosenka *Za siedmioma morzami*, stanowiąca autentyczny, piękny i bardzo liryczny list matki do syna-marynarza nadesłany mi przez panią Aleksandrę Stefanowską z Gdyni, żonę i matkę kapitana.

(„Śpiewamy i tańczymy", 1970)

O PŁYCIE
TETYDA
NA WYSPIE SKYROS

D. Scarlatti
arie z opery
„Tetide in Sciro"

ANNA GERMAN
i zespół kameralny CON MOTO MA CANTABILE

To jedyna w mojej „karierze" płyta z muzyką klasyczną. Nagrałam ją dzięki profesorowi Tadeuszowi Ochlewskiemu. Kiedyś był na moim koncercie. Przyszedł potem do garderoby i powiedział: Ma pani głos postawiony z natury, a tak postawione głosy mieli ci, którzy wykonywali muzykę kameralną.

Bałam się. Nigdy nie śpiewałam takiej muzyki. Myślałam, że to możliwe dopiero po kilku latach nauki.

Linia melodyczna wydała mi się skomplikowana, ale okazało się, że wszystko można pokonać. Potem były próby z zespołem i nagranie płyty. Profesor był zadowolony ze mnie.

Cieszę się, że na pamiątkę tej ciekawej współpracy pozostała mi płyta.

(Z wywiadu dla prasy radzieckiej, 1979)

Byłam bardzo dumna z tego nagrania. A jednak, mimo że podziwiam przedstawicieli belcanta i lubię słuchać arii operowych, bliższa jest mi piosenka, codzienne sprawy, które porusza. Sprawy bliskie ludziom takim jak ja.

(„Sztandar Młodych", 1979)

Na dowód, że płyta nagrana wspólnie z zespołem Con moto ma cantabile znalazła uznanie w oczach fachowców, muszę pochwalić się, że otrzymałam oficjalne zaproszenie z Filharmonii Rzeszowskiej na koncerty kameralne z tą orkiestrą.

(„Panorama", 1972)

Operę traktuję jako piękną przygodę w moim życiu artystycznym, za którą jestem bardzo wdzięczna profesorowi Tadeuszowi Ochlewskiemu oraz zespołowi Con moto ma cantabile. Ale pierwszą i jedyną miłością jest piosenka.

(„Zarzewie", 1973)

O PIOSENKACH
ROSYJSKICH

Z rosyjskimi przyjaciółmi
przed wejściem do studia
nagrań Melodia, 1978.

Zawsze były mi bliskie piosenki rosyjskie. Łatwo i przyjemnie je śpiewać – nie tylko dlatego, że dobrze znam język. Zachwycają melodyjnością i swobodą głosową. Aby przekazać całą głębię tych piosenek, powinno się je śpiewać wyłącznie po rosyjsku.

Nadzieja zainteresowała mnie swoją prawdą i człowieczeństwem. Mnie, geologowi z wykształcenia, bliskie było przesłanie tej piosenki. W czasie studenckich praktyk często byłam poza domem, poznałam uczucie rozłąki z najbliższymi.

Włączając tę piosenkę do swego repertuaru – znowu poczułam się geologiem.

(Z wywiadu dla prasy radzieckiej, 1980)

Niedawno leciałam na Dni Kultury Polskiej do ZSRR [1978 rok]. Obok mnie siedział nasz pierwszy kosmonauta Mirosław Hermaszewski. Powiedział mi wtedy, że kosmonauci przed startem słuchają w skupieniu *Nadziei*. I chociaż nagrało ją wielu piosenkarzy – wyłącznie w moim wykonaniu. Byłam z siebie dumna, choć nie leży to w mojej naturze.

(Iwan Ilicziow, Anna German: Świeć, gwiazdo moja…, 2010)

Po prawej:
w moskiewskim studiu nagrań.

O METODZIE NAGRYWANIA W STUDIACH RADZIECKICH

Z życzliwością i serdecznością, jakie mi okazują przyjaciele radzieccy, w innych studiach rzadko kiedy się spotykam. Ten, kto nagrywa, wie, jak sprzyjają pracy!

Myślę, że metoda stosowana w studiach radzieckich jest najlepsza i najefektywniejsza. Nagrania są tak zwane stuprocentowe, a więc śpiewa się równocześnie z orkiestrą, nie nakłada się głosu na nagrany uprzednio play-back. Nagrania są przeto naturalne, „żywe". Materiał jest gotowy w ciągu kilku godzin.

Piosenki na płyty selekcjonują znawcy, ludzie odpowiedzialni za poziom proponowanych utworów. Nigdy nie zaproponowano mi piosenki, która w jakiś sposób mi nie odpowiadała. Mam też prawo wyboru utworów na płytę. Gdzie jest podobnie?

(„Synkopa", 1979)

Z kompozytorem Włodzimierzem Szainskim.

Okładki niektórych rosyjskich
płyt Anny German.

O KONCERTACH
W ZWIĄZKU
RADZIECKIM

Byłam już trzykrotnie na występach w Związku Radzieckim i twierdzę – powtarzając zresztą za wieloma kolegami – że rzadko spotyka się tak muzykalną, ciepłą i serdeczną, a zarazem surową w ocenie publiczność, jak w ZSRR. Bardzo chętnie tam jeżdżę i mówię to z prawdziwą satysfakcją.

Wiosną znów wyjeżdżam do Związku Radzieckiego dokończyć płytę, którą zaczęłam nagrywać podczas ostatniego tournée. Będzie to już drugi krążek. Znajdą się na nim piosenki radzieckich kompozytorów, ludowe pieśni rosyjskie, a także piosenki polskie tłumaczone na język rosyjski.

(„Panorama", 1975)

Z widzami w ZSRR mam cudowny kontakt. Wiem, że czekają na moje piosenki. I ja czekam na spotkanie z nimi.

Tutaj wyszła moja pierwsza płyta, tutaj miałam pierwsze zagraniczne występy. Moje uczucia do tego narodu, do mojej drugiej ojczyzny, pozostają niezmiennie najlepsze.

(Z wywiadu dla prasy radzieckiej, 1980)

Na występach w Turkmenii, 1979.

W Azji Środkowej, 1979.

Dlaczego lubię występować w Kraju Rad? Może dlatego, że spotykam tam ludzi muzykalnych, wrażliwych, obeznanych ze śpiewaniem i piosenką na co dzień. Oni śpiewają w domach, na spotkaniach towarzyskich. Bez „śpiewanego deseru" nie ma udanego przyjęcia.

Kiedyś w Moskwie przyjaciele zaprosili mnie do swojego domu na kolację. Zastałam tam znaną radziecką autorkę Ludmiłę Iwanową z mężem Walentynem Mielajewem, który komponuje melodie do jej piosenek. Po kolacji, przy akompaniamencie gitary, Ludmiła zaczęła śpiewać swoje najnowsze utwory. Po zakończeniu „recitalu" podziękowałam za wzruszenie, jakie mi dały jej piosenki. A Ludmiła powiedziała tylko: Chcesz śpiewać i ty te utwory? Jutro przyniosę ci nuty. Śpiewaj na zdrowie, na pewno będzie ci w nich do twarzy.

Nagrałam potem te piosenki na swoim longplayu wydanym przez radziecką Melodię.

Moje piosenki, pisane specjalnie dla mnie przez radzieckich kompozytorów i autorów, wykonuje też wielu piosenkarzy Kraju Rad. Są wśród nich Muslim Magomajew i Edyta Piecha.

Ostatnio byłam dwukrotnie na wielkich tournée po ZSRR. Występowałam w wielu miastach i republikach. Wszędzie spotykałam się z niezwykle serdecznym przyjęciem.

Myślę, że kontakty, które udaje mi się nawiązać ze słuchaczami w Związku Radzieckim, zawdzięczam przede wszystkim dobrej znajomości języka – urodziłam się przecież w ZSRR. Poza tym wychodzę do słuchaczy z sympatią. Po prostu lubię swoją publiczność i ona odpłaca mi tym samym. Przychodzą też do mnie za kulisy. Rozmawiamy, żartujemy.

(„Sztandar Młodych", 1979)

Moje dziesiąte randez-vous z radziecką publicznością postanowiłam uczcić w sposób szczególny: zaprezentować się moim sympatykom jako piosenkarka, kompozytorka i... konferansjerka.

Tremę miałam ogromną, ale chęć pozostania sam na sam z wielojęzyczną publicznością radziecką – zwyciężyła. Bez szminki, bez charakteryzacji śpiewałam i rozmawiałam z publicznością przez ponad dwie godziny. Bałam się, że po kilku piosenkach sala opustoszeje, a stało się inaczej. Zgotowano mi prawdziwą owację, domagano się bisów, scenę zasypano kwiatami... Sprawdziłam się. Takie spotkania będę kontynuowała i w kraju, i za granicą.

Wiem, że niektórzy uważają mnie za piosenkarkę radziecką. Chyba dlatego, że władam biegle językiem rosyjskim, mam dobry akcent, śpiewam niektóre piosenki po rosyjsku... Ale przecież władam równie dobrze innymi językami.

(„Synkopa", 1979)

O KONFERANSJERCE

Nie jestem najlepszym konferansjerem. Mówić, a potem śpiewać – trudno. Wiedzą o tym wszyscy wokaliści. Wydawało mi się to jednak kuszące, dlatego dwa lata temu spróbowałam. Zwróciłam się do swoich słuchaczy z kilkoma ciepłymi słowami. Teraz myślę, że jeśli wówczas poszło tak dobrze, nie wypada postąpić inaczej…

Gdy mówię, strasznie wysycha mi gardło. Potem trudno śpiewać. Wciąż myślę, czy mogę wyjść na scenę ze szklanką wody, czy nie wypada… Do tej pory nie odpowiedziałam sobie na to pytanie. Jakoś mi niezręcznie… Na to, żeby biegać za kulisy, wypić łyk wody i wrócić na scenę – nie ma czasu.

(Z wywiadu dla prasy radzieckiej, 1974)

ANNA GERMAN tańczące eurydyki

XL 0284

Anna German
Recital piosenek

Okładki polskich płyt
Anny German.

O REPERTUARZE, ROLI TEKSTU I MUZYKI W PIOSENCE

Jestem piosenkarką jednego tematu – miłości. Wszyscy albo kochamy, albo czekamy na miłość. Moje piosenki są o tym. Są z różnych krajów i epok.

Swoją liryczną bohaterkę chcę obdarzać inteligencją, wrażliwością, godnością i czułością. Wydaje mi się, że właśnie te cechy upiększają kobietę.

(Z wywiadu dla prasy radzieckiej, 1980)

Mam głos postawiony z natury. To, co inni osiągają wieloletnią nauką, jest mi dane od Boga. Nie myślę o oddechu. Po prostu śpiewam.

Jeśli chodzi o repertuar – o tekst, o interpretację – to wszystko wymaga długich tygodni pracy. Zanim nagra się piosenkę, najlepiej zaśpiewać ją kilkadziesiąt razy przed publicznością, sprawdzić, jak jest odbierana.

(Z audycji radiowej, 1982)

Pierwsza płyta Anny German – różnorodny repertuar, piosenki w czterech językach.

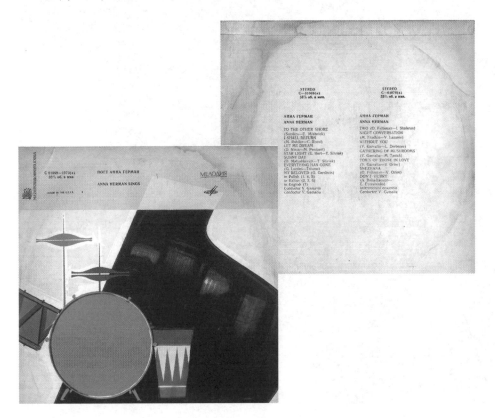

Z ulubioną kompozytorką Katarzyną Gärtner.

Z poetą Jerzym Ficowskim.

Co jest ważne w piosence? Przede wszystkim musi być dobry tekst. Czytelny, zrozumiały. Tekst to most, który łączy mnie ze słuchaczami.

(Z wywiadu dla prasy radzieckiej, 1980)

O tym, czy piosenka mi się spodobała, czy nie, decyduje jej treść, czyli to, co chcę ludziom przekazać. Jeżeli treść jest błaha – z reguły odrzucam piosenkę. Nawet najpiękniejsza muzyka nie usprawiedliwia złego tekstu.

(„Panorama", 1975)

Treść piosenki musi być dla mnie zrozumiała i zaakceptowana wewnętrznie, bo przecież śpiewając, mam słuchaczy o czymś przekonać, zawiadomić. Pełnia szczęścia jest wtedy, gdy muzyka do tych słów jest taka, jaką lubię śpiewać, to znaczy daje możliwość wyśpiewania się.

(„Panorama", 1979)

Nie jest tajemnicą, że istnieje sporo piosenek bezmyślnych, nie wiadomo o czym. Żyją jakiś czas dzięki muzyce... Długi żywot ma tylko ta piosenka, która porusza i umysł, i duszę, a to udaje się wówczas, gdy tekst jest artystyczny. Staram się śpiewać takie utwory.

(Z wywiadu dla prasy radzieckiej, 1980)

Czasem przynoszą mi piosenkę, której tekst jest dobry, melodia ciekawa, ale wiem, że nie jest ona dla mnie. To czuje każdy wykonawca. Nie zawsze łatwo o tym powiedzieć kompozytorowi czy autorowi tekstu...

Wcześniej w piosence bardziej interesowałam się linią melodyczną. Teraz na pierwszym miejscu stawiam treść. Jeżeli rozumiem zamysł poety, jeśli potrafię zaśpiewać jak własny – wtedy piosenka będzie miała oddźwięk u słuchaczy.

Mogę zaśpiewać piosenkę tylko wtedy, gdy jestem pewna, że temat jest tego wart. Poza tym piosenka nie tylko powinna mi się podobać. Ona powinna zrosnąć się ze mną.

Bardzo często ludzie myślą, że śpiewam o sobie. Cieszy mnie to.

(Iwan Iliczow, Anna German: Świeć, gwiazdo moja..., 2010)

A dwa dni wstecz zaszczyciła naszą imprezę swoją obecnością sama Pani Kulmowa. Pan Nieżychowski zawiózł mnie do ich posiadłości [w Strumianach], gdzie zostałam poczęstowana wspaniałą kawą... i obietnicą, że się specjalnie dla mnie coś napisze [Powstała piosenka *A kiedy wszystko zgaśnie*].

Bardzo, bardzo się cieszę z tej znajomości. To wspaniały człowiek – Pani Joanna Kulmowa.

(Z listu do Jana Nagrabieckiego, Szczecin 1965)

Z akompaniatorem Andrzejem Płonczyńskim.

O RECITALU

Gdy piosenkarz decyduje się na własny program, gdy „dorasta" do własnego recitalu – musi dobrać taki repertuar, który gwarantuje mu nie tylko różnorodność tematyczną piosenek, ale i stylu, w jakim są wykonywane. Recital, na który zwykle składa się szesnaście czy siedemnaście piosenek, nie może być jednolity, a przynajmniej nie do końca programu, ponieważ widza to nie bawi. O tym każdy z nas stara się pamiętać. Swój repertuar rozszerzyłam więc o arie operowe, pieśni, a ostatnio nawet o czyste szlagiery, czyli piosenki najmodniejsze.

(„Panorama", 1975)

Nie można wyjść na scenę nieprzygotowanym. Teraz, gdy mam własne recitale, jeszcze silniej czuję, że występ na estradzie to ogromna odpowiedzialność. Wyjść na scenę i zaśpiewać kilka piosenek, kiedy w programie jest wielu uczestników – to także odpowiedzialność, ale inna. Zaśpiewasz swoje i... następny. A tutaj trzeba aż do końca utrzymać zainteresowanie widza, każdemu coś podarować, by nie chciał opuścić sali. Problem nie tylko w tym, żeby zaśpiewać czysto i dobrze. Trzeba jeszcze okazać publiczności sympatię, niezależnie od tego, czy nas lubi, czy nie. Dać z siebie wszystko, być sobą, nie udawać – to dla mnie najważniejsze.

(Z wywiadu dla prasy radzieckiej, 1974)

O RECITALU
W TEATRZE WIELKIM

ZŁOTA PŁYTA

ANNA GERMAN PREZENTUJE

w programie między innymi:

Barbara BITTNERÓWNA, Aneta ŁASTIK,
Barbara OLKUSZNIK, Mieczysław GAJDA,
Witold GRUCA, Wiesław MICHNIKOWSKI,
Stanisław SZYMAŃSKI, ANDRZEJ I ELIZA

BALET STOŁECZNEJ ESTRADY
Orkiestra pod dyr. Marka SEWENĄ
zespół Andrzeja PŁONCZYŃSKIEGO

TEATR WIELKI 3, 4, 5, 9, 10, 11.V. godz. 19,30

Udało mi się wystąpić w dość urozmaiconym repertuarze. Zaśpiewałam łącznie dwadzieścia jeden piosenek: od *Balu u Posejdona* aż po *Trzeba się nam pospieszyć* i od neapolitańskiej pieśni ludowej po jedną z arii Scarlattiego. Udało się także dzięki baletowi, który tańczył ognistą *Tarantelę* z prawdziwie południowym temperamentem oraz dzięki moim gościom – Nataszy Czarmińskiej, Kirze Płonczyńskiej, Wojciechowi Miazdze oraz Andrzejowi i Elizie. Zupełnie nadprogramowo wystąpił niezrównany Wiesio Michnikowski, który zwrócił się do mnie ze śpiewaną „inwokacją" – „Dużą blondyną mi bądź…".

Bardzo serdecznie odnieśli się do mnie – „intruza" przecież – pracownicy Teatru Wielkiego. Nawet wtedy, gdy okazało się, że do jednej arii trzeba będzie specjalnie uszyć krynolinę, bo znaleźć niczego na mnie się nie da.

Ostateczny kształt programu zawdzięczam dyrektor Barbarze Śliwińskiej ze Stołecznej Estrady i reżyserującemu całość Mieczysławowi Gajdzie, którzy wespół z Markiem Sewenem i Andrzejem Płonczyńskim rzucili się do pracy nad przygotowaniem mojego recitalu z takim zapałem, iż rzeczywiście – jak zapewniają niektórzy – wyszedł z tego show.

("Panorama", 1972)

Złota płyta i róże dla Anny German

Nieobecność zespołu Teatru Wielkiego sprawiła, że na jego imponującą scenę zakra..la się Stoł.czna Estrada. Z przyjemnością odnotowuję, że impreza zaproponowana tym razem warszawskiej publiczności, odbiegała od mocno już sfatygowanego częstym powielaniem szablonu składanki do jakiej nas przyzwyczajono od lat. Nie wiem czy do tej metamorfozy przyczyniła się tylko zmiana miejsca, czy też nastąpiło wreszcie wiosenne przebudzenie. Z wyrokowaniem poczekajmy do następnych premier estradowych.

Tymczasem cieszmy się tą pierwszą jaskółką – koncertem pod nazwą „Anna German prezentuje", uświetniającym fakt przyznania tej piosenkarce dwóch trofeów: Złotej Płyty Polskich Nagrań i Srebrnego Gwoździa Sezonu „Kuriera Polskiego".

Główna bohaterka znalazła się tego wieczoru w starannie dobranym towarzystwie i w pomysłowej oprawie. Na tę ostatnią miały oczywiście wpływ możliwości techniczne Teatru Wielkiego. Nie musimy tym razem narzekać na aparaturę dźwiękową, czy operowanie światłami. Błyskawicznie zmieniało się tło; dekoracje zastępowała projekcja filmowa, co przynosiło na ogół bardzo dobre – i kolorowe – efekty. Każda piosenka otrzymała pomysłową inscenizację. Repertuar dobrano tak, aby ukazać rozległe możliwości wokalno-interpretacyjne śpiewającej już od 10 lat gwiazdy wieczoru – jednej z naszych nielicznych indywidualności piosenkarskich.

Anna German (w bardzo twarzowych i często zmienianych kreacjach) śpiewała piosenki w różnym nastroju — od lirycznych do żartobliwych, przy czym w połowie z nich wystepowała w podwójnej roli — jako wykonawczyni i kompozytorka. Włączyła także od programu arie, w których pokazała nie tylko walory swego głosu, ale także umiejętności aktorskie, śpiewając w scenach rodzajowych w otoczeniu baletu Stołecznej Estrady. W zabawnej rytmicznej piosence „Co daje deszcz" powiało klimatem rewii!

W pełnieniu obowiązków gospodarza imprezy pomagał dzielnie Annie German Mieczysław Gajda, który nie ma trudności w nawiązywaniu kontaktów z wykonawcami (przeprowadzał z nimi wywiady) i z publicznością. A tu przedstawił się jeszcze jako scenarzysta i reżyser kulturalnie obmyślonej całości. Wśród wykonawców znalazła się m. in. znakomita para taneczna Barbara Olkusznik i Stanisław Szymański, aktor faworyzowany przez piosenkarkę Wiesław Michnikowski, a z rozpoczynających życie estradowe: Natasza Czarmińska oraz „Andrzej i Eliza", na których Anna German stawia.

Na widowni można było zobaczyć wielu młodych. Styl Anny German, choć nie związany z modami współczesnymi, ma wielu miłośników, którzy zdecydowali o Złotej Płycie i „Człowieczy los", a teraz będą słuchać z przyjemnością jej kolejnej płyty: „Wiatr mieszka w dzikich topolach".

BARBARA HENKEL

STOŁECZNA ESTRADA
POLSKIE NAGRANIA

Z okazji wręczenia Z

ANNA GERMA

TO CHYBA MAJ . . . . — *Jerzy Ficowski*
Anna German

WIOSENNA HUMORESKA . . . . . . — *Leonid Teliga*
Anna German

WIKLINA TOPIELICA . . . . — *Leszek Tymiński*
Marek Sewen

BEZ CIEBIE NIE MA MNIE . . . . . . — *Jerzy Ficowski*
Anna German

NOC NAD MEKONGIEM . . . . . . — *Leonid Teliga*
Anna German

WOJENKO, WOJENKO . . . . . . — *Teresa Sylińska*
Stefan Rembowski

NIE PŁACZ SZKODA OCZU . . . . . — *Krzysztof Dzikowski*
Katarzyna Gaertner

Aria Tetydy z „CESSINO I VOSTRI GEMIT" . . . — *Domenico Scarlatti*

MARECHIARO . . . . — *F. Giacomo*
F.P. Tosti

DZIĘKUJĘ CI MAMO . . . . — *Alina Nowak*
Anna German

w konc:er

ANNA GERMAN
BARBARA BITTNERÓWNA
BARBARA OLKUSZNIK
KIRA PŁONCZYŃSKA

NATASZA CZ:AR.

BALET STOŁECZNEJ ESTRADY *pod kier.* HENRYKI KOMOROWSKIEJ ● *solise*
Zespół Instrumentalny — Andrzeja IPłon

Scenografia — EDWARD KONGAN ● *Choreografia* — HENRYKA

Scenariusz i reżyse

ŁYTY *Polskich Nagrań*

PREZENTUJE

MOŻE MNIE JEDNAK PAMIĘTASZ	— *Jerzy Sułkowski* *Władysław Słowiński*
TRZEBA SIĘ NAM POSPIESZYĆ	— *Jerzy Miller* *Wojciech Piętowski*
BAL U POSEJDONA	— *Marek Sart* (słowa i muzyka)
CO DAJE DESZCZ	— *Jerzy Ficowski* *Anna German*
NAJSZALEŃSZY SZAŁAWIŁŁA	— *Jerzy Ficowski* *Anna German*
MÓJ GENERAŁ OŁOWIANY	— *Jerzy Ficowski* *Anna German*
WRACAJ DO ŁOWICZA	— *Elżbieta Bussold* *Anna German*
TANGO D'AMORE	— *Domenico Modunio* *Nina Pilichowska*
NIE POJADĘ DO SORENTO	— *Jerzy Płaczkiewicz* *Anna German*
ZIMOWA PIOSENKA	— *Tadeusz Kubiak* *Bogusław Klimczuk*
UŚMIECHNIJ SIĘ STOLICO	— *Zofia Bernardziuk* *Anna German*

ział biorą:

MIECZYSŁAW GAJDA
WITOLD GRUCA
WIESŁAW MICHNIKOWSKI
STANISŁAW SZYMAŃSKI

● **ANDRZEJ I ELIZA**

browicz, *T. Chuchrowska, M. May, K. Głąbczyński, A. Karaś, A. Rajner, J. Tota*
go ● *Orkiestra pod dyr. — Marka Sewena*

OWSKA ● *Kier. muzyczne — A. Płonczyński, M. Sewen, B. Niwiński*

MIECZYSŁAW GAJDA

O STROJU ESTRADOWYM

Najważniejsza jest funkcjonalność ubioru. Nie mogę przecież myśleć o tym, czy podczas jakiegoś ruchu wyjdzie mi bluzka ze spódnicy, czy też zleci ramiączko.

Kwestia stroju jest także moją prywatną domeną. Kiedyś szyłam sobie sukienki. Teraz nie mam na to czasu. Tylko występ w telewizji uwalnia mnie od myślenia o kreacjach, bo to realizatorzy dbają o mój wygląd.

Tak naprawdę uważam, że dobry utwór nie wymaga szminki i oprawy piór, schodów czy koturnów. Najważniejsza jest piosenka, a nie to, w co ją „opakowano".

(„*Sztandar Młodych*", 1979)

O TREMIE

Co to jest trema, tego nie potrafię wyjaśnić, ale towarzyszy mi od dziesięciu lat. Każdy swój występ przeżywam. Obecnie chyba jeszcze bardziej niż przed laty. Zawsze boję się, czy zdam kolejny egzamin przed publicznością. Dla niej przecież śpiewam. A im dłużej występuję na estradzie, tym trudniejsze są dla mnie te egzaminy.

(„Zarzewie", 1973)

Dla mnie występ przed publicznością to coś niezmiernie ważnego. Dlatego zjada mnie trema, którą udaje mi się opanować, ale nie od razu. Podczas dłuższego recitalu zapominam o tremie dopiero po którejś z kolei piosence. Te pierwsze utwory idą, moim zdaniem, na straty.

(„Sztandar Młodych", 1979)

O PUBLICZNOŚCI

Wychodząc do publiczności, mam dla niej wielki szacunek. Lubię ją. Myślę, że bez tego nie ma po co wychodzić na scenę. Jeśli wykonawca odnosi się do swoich słuchaczy z szacunkiem – odpłacą mu tym samym.

Scena to odpowiedzialne miejsce. Wyspa, jak ją nazywam. Będąc na scenie, zawsze czuję tę granicę, której nie można przekroczyć.

(Z wywiadu dla prasy radzieckiej, 1980)

Gdy jestem na estradzie, staram się nawiązać ze słuchaczami bezpośredni kontakt. Jest to niesłychanie ważne. Powstaje bowiem wzajemne zrozumienie, wytwarza się specyficzny klimat.

(„Zorza", 1980)

Wszędzie jest inna publiczność. Myślę jednak, że najwięcej można mówić o podobieństwie publiczności włoskiej i rosyjskiej. Cecha, która je łączy, to ogromna muzykalność, wrażliwość i spontaniczna reakcja.

Dla piosenkarza dużą satysfakcją jest kontakt z taką publicznością.

(„Gospodyni", 1976)

Pano ram

Dziś:
Pierwsze zadanie
**Wielkiego
Konkursu
Leninowskiego**

tygodnik
telewizyjno-
filmowy

ekran

NR 35 (699)   *   30 SIERPNIA 1970   *   ROK XIV   *   CENA 4 ZŁ

radio i telewizja

NIK
58
III
AMY
3.II.1966
ZŁ

ANNA GERMAN
Fot. CAF — S. Czarnogórski

ZARZEWIE

ZMW   ORGAN ZSMW NR 48 (872) WARSZAWA 2.XII.1973. ROK XVI, CENA 2.50 ZŁ

W numerze:
● Jak wydawać pieniądze?
● Żyć i śpiewać
● Mechanicy wspaniali
● „Jesteśmy pełni uznania"
● Wyrzucić bomby! — opo-
  wiadanie J. MEISSNERA

W dzień Barbórkowy wszystkim
Górnikom życzymy serdecznie wraz
z Anną German wiele sukcesów i satysfakcji z pracy tak potrzebnej dla
kraju (o górnikach z Rzeszowskiego
na str. 13—15).   Fot. DOROTA BILSKA

CZYM JEST MIŁOŚĆ

Przyjaciółka

ANNA GERMAN

Fot. St. Czarnogórski — CAF

zwierciadło

NR 9 (458) • ROK X • 27.II. 1966 R. • CENA 2 Zł

Anna na okładkach
popularnych czasopism.

O POPULARNOŚCI

Popularność nierozerwalnie związana jest z naszym zawodem. Zawsze jej pragniemy. Przecież po występie czekamy na reakcję publiczności, na objawy sympatii. I chociaż w życiu prywatnym stronię od tłumów, kawiarni – nade wszystko ceniąc dom, życie rodzinne, spokój – z przyjemnością koncertuję przed publicznością, oczekując akceptacji.

Na co dzień, gdy jestem w sklepie czy na spacerze z mężem i synkiem, a widzę, że ludzie mnie poznają, uśmiechają się do mnie – też mnie to cieszy.

(„Gospodyni", 1976)

ZAPAMIĘTAJ MOJE RĘCE

Powiedz mi, jak to jest – jaka jest ta miłość...? – pytałam czasem moje koleżanki, które miały dzieci. Odpowiedzią był uśmiech i słowa: Tego się nie da powiedzieć, to trzeba samej przeżyć.

A potem pewnego dnia leżałam w klinice i czekałam z niecierpliwością na siostrę przełożoną, która miała mi przynieść i pokazać mojego synka. Teraz! Teraz doznam i ja tego szczęścia, poznam to wielkie, świetlane uczucie – jestem matką!

Czekałam w uniesieniu. Tymczasem na widok mego dziecka odezwały się zupełnie inne doznania: niepokój, litość, żałość jakaś bezmierna... Mój Boże – pomyślałam – z gołą główką, tylko w pieluszkę zawinięty, a w tych długich korytarzach są pewnie przeciągi...

Teraz już wiem. Mimo że mój chłopczyk ma dopiero siedem miesięcy i nie może jeszcze ze mną rozmawiać. Wiem, że miłość do dziecka oznacza pragnienie jego spokoju, zdrowia i szczęścia. Całym sercem pragnę – w miarę moich sił, możliwości i umiejętności – mądrze ułożyć jego małe życie. Staram się, aby nie tylko miał czas na swoje jedzonko, ale żeby przede wszystkim wiedział i czuł, że jest kochany i bezpieczny. Jednocześnie – i to jest chyba najtrudniejsze – muszę pamiętać o tym, że mój synek nie jest moją własnością, że jest istotą niezależną i wolną, i że wkrótce będzie miał swoje własne życie, swoje sprawy i problemy. A jakie miejsce zajmiemy my, rodzice, w jego życiu, zależy tylko od nas.

Największym złem jest przesadna, egoistyczna, zaborcza miłość matek (najczęściej matek!): Kocham cię nade wszystko w świecie i ty mnie też musisz kochać!

A przecież prawdziwa miłość polega na dawaniu szczęścia, nie pragnąc nic w zamian.

Chcę, żeby mój synek kochał świat i ludzi, umiał ocenić przyjaźń, umiał znaleźć miłość – tę jedyną, największą. I żeby był potrzebny ludziom. A ja go będę kochała z daleka. Jeśli będzie mnie potrzebował, zawsze przyjdę z pomocą, tak jak w słowach piosenki, którą mu dziś śpiewam:

Gdy zapomnisz o piosence,
Zapamiętaj moje ręce...
Dniem czy ciemną nocą
Przyjdą ci z pomocą
Moje ręce – mały synku mój.

(*Sztuka rodzicielskiej miłości,* oprac. Zofia Dąbrowska-Caban, *1979*)

O MACIERZYŃSTWIE

Cieszyłam się bardzo, kiedy usłyszałam (jak przez mgłę) słowa pani doktor, że „urodził się syn, pani German". Potem nie mogłam się doczekać, kiedy synek będzie coś rozumiał, kiedy będzie mnie poznawał i kiedy będę mogła zaśpiewać mu pierwszą kołysankę.

Ku mojemu wielkiemu żalowi okazało się, że mój synek nie znosi, kiedy mamunia mu coś tam usiłuje śpiewać. Natomiast uwielbia, kiedy tatuś bierze go w ramiona i – okropnie fałszując – śpiewa coś tam do snu. Tyle było mojej radości.

Mam jeszcze nadzieję, że gdy podrośnie, rozejrzy się po świecie, posłucha muzyki – może mnie polubi...

(Z audycji radiowej, 1979)

Chciałabym powiedzieć wszystkim młodym matkom, żeby wzięły to sobie do serca. W pewnej chwili trzeba nawet zrezygnować ze swoich obowiązków i ambicji.

Podam siebie za przykład. Siedzę już dwa lata w domu, wychowuję swojego synka i nie żałuję, bo wydaje mi się, że dla dziecka konieczny jest ten najbliższy kontakt z rodzicami, a przede wszystkim, w pierwszym okresie, z matką.

Może zdarzyć się tak, jak w moim przypadku, że miałam babcię – cudowną kobietę, bardzo mądrego, dobrego człowieka, ale mimo wszystko przez całe swoje dzieciństwo, przez późniejszy okres w szkole, z utęsknieniem czekałyśmy obie na powrót mamy, na te krótkie rozmowy przy stole...

Nie żałujmy, posiedźmy troszkę w domu. Pozwólmy naszym maluchom rozwijać się w cieple naszych słów, naszych spojrzeń, naszych uśmiechów.

(Z audycji radiowej, 1978)

W czasie spędzanym między kuchnią a łóżeczkiem – wszystko robiłam sama – czułam, że stoję na brzegu rzeki, która płynie beze mnie. Nie umiałam jednak powiązać życia zawodowego z obowiązkami matki. Musiałam dokonać wyboru. Ryzykowałam, ale wybór został zrobiony świadomie.

(„Sztandar Młodych", 1979)

Macierzyństwo wypełniło mój czas bez reszty. Maleńkie dziecko jest ogromnie absorbujące. Teraz, gdy Zbyszek ukończył rok i zaczął jeść łyżeczką, będę mogła od czasu do czasu pozostawić go pod dobrą opieką i zająć się śpiewem. Właśnie po dłuższej przerwie przygotowuję się do recitalu.

(„Gospodyni", 1976)

Rola matki okazała się trudniejsza, niż przypuszczałam. Stopniowo praca zawodowa, która odeszła na drugi plan, wraca na swoje miejsce. Teraz, gdy Zbyszek pewniej chodzi, częściej wyjeżdżam na koncerty.

Wydaje mi się, że kiedy zostałam matką, zdobyłam pewną mądrość i śpiewam teraz lepiej, bo odkryłam nieznane mi dotychczas emocjonalne barwy w muzyce.

Teraz żyje mi się lepiej i przyjemniej, a piosenki szczęśliwego człowieka brzmią przejmująco i szczerze.

(Z wywiadu dla prasy radzieckiej, 1980)

Wydaje mi się teraz, że przerwa wyszła mi na dobre. Ludzie nie zapomnieli o mnie. Pamiętają też moje piosenki. I miałam już na to dowody.

Jesienią ubiegłego roku wyjechałam na Wybrzeże na pierwsze występy po trzech latach przerwy. Zostałam przyjęta przez publiczność niezwykle serdecznie. Również gorące przyjęcie zgotowano mi na tournée po Związku Radzieckim, na które pojechałam niedługo potem.

Kiedy urodziłam dziecko, złożyła mi w Warszawie wizytę ekipa telewizji radzieckiej. I podczas ostatnich występów w ZSRR okazało się, że mój mały syn Zbyszek zdobył w Kraju Rad większą popularność niż jego matka! Wszędzie pytano mnie o jego zdrowie. Dzieci przynosiły mi za kulisy rysunki, własnoręcznie zrobione zabawki, a dorośli – drobne upominki dla syna.

Byłam tymi dowodami pamięci i sympatii bardzo wzruszona.

(„Sztandar Młodych", 1979)

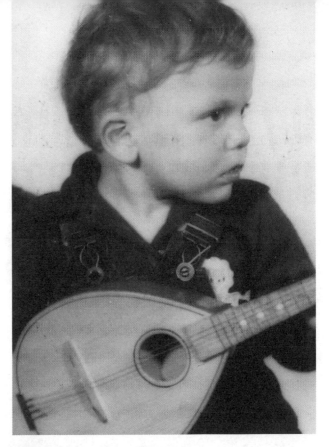

O ZAINTERESOWANIACH, PASJACH, MARZENIACH I CECHACH CHARAKTERU

Człowiek nie powinien robić w życiu nic wbrew sobie, wbrew swoim przekonaniom, wbrew własnemu charakterowi. Nic, co by później miał wspominać z niechęcią.

Lubię się śmiać, ale tylko wtedy, gdy jest mi wesoło. Nawet bez powodu. Uwielbiam tańczyć i bawić się, ale przybrać na określony z góry czas maskę kobiety zupełnie mi obcej, tylko na pokaz, na sprzedaż, dla reklamy – tego robić nie mogłam i nie chciałam.

(„Scena", 1970)

Kocham liryzm, ale nie wyłącznie. Kocham też taniec, muzykę ekspresyjną, rytmiczną – i taką wykonuję! Takich piosenek chcę też śpiewać jak najwięcej. Bawić się wspólnie z publicznością. Na moich obu ostatnich tournée po ZSRR tak właśnie robiłam. W Polsce prawie nikt mnie nie zna od tej strony...

(„Sztandar Młodych", 1979)

Lubię słuchać piosenek, muzyki lekkiej... Moi ulubieńcy? Najnowszy to chyba Adamo, znakomity, wszechstronny. Oczywiście Charles Aznavour. Z kobiet

Brenda Lee – ta jej wspaniała chrypa! Nie wiem, czy wypada się przyznać, że bardzo lubię Beatlesów, a w szczególności ich utwór *Michelle*.

Mam jeszcze jedną ulubioną pieśniarkę, którą usłyszałam w Nowym Jorku, kiedy byliśmy na występach. Nazywa się Miriam Maceba, jest Zuluską, śpiewa dosłownie wszystko: piosenki, pieśni, jazz... Ma piękny matowy głos. Marzenie mojego życia: matowy głos...

(„Itd", 1966)

Przepadam za Niebiesko-Czarnymi i Czerwono-Czarnymi. Ich kompozycje odznaczają się świeżością, oryginalnością i dzięki elementom polskiej muzyki ludowej stanowią w morzu identycznej muzyki rozrywkowej na świecie – perełki.

(„Życie Warszawy", 1967)

Czytam właśnie Joy Adamson *Moja lwia rodzina*. Cudowna książka, pełna człowieczeństwa, mimo że o lwach mowa. Lubię także filmy o zwierzętach, ale realizowane w środowiskach, w których żyją. Wszelkie łowy i polowania (myśliwi mnie wyśmieją) uważam za morderstwo popełniane z ohydną premedytacją!

Lubię filmy historyczne, filmy o podróżach, o odkryciach, także westerny, może dlatego, że traktuję je jako typ filmów rozrywkowych, bo o prawdziwej wojnie – bardzo nie lubię, a wiem, że muszą być.

Z aktorów bardzo lubię Irenę Kwiatkowską i Shirley Mac Laine, [Wiesława] Michnikowskiego, [Wiesława] Gołasa i [Marka] Perepeczkę.

I co jeszcze lubię względnie co mnie interesuje? Szyję sobie sama wszystkie sukienki, i dla mamy także. Lubię tańczyć i w ogóle wszelki ruch. Interesuje mnie ceramika, chociaż nigdy nie mam czasu, żeby się nią zająć. Chętnie czytuję „Film", „Ekran", „Itd", „Przekrój", „Panoramę" z coraz ciekawszą treścią i uatrakcyjnioną szatą graficzną.

(„Panorama", 1968)

Poza śpiewaniem lubię sport: pływanie, jazdę na rowerze, a poza tym długie spacery, spotkania z przyjaciółmi, kino. Najchętniej oglądam komedie (*Pół żartem, pół serio* widziałam cztery razy) i – jak każda kobieta – filmy psychologiczne.

U ludzi najbardziej cenię wyrozumiałość i szlachetność, a nie znoszę złośliwej ironii.

Wymarzone wakacje? Z namiotem, z dala od zgiełku i ludzi, najchętniej na bezludnej wyspie. Tylko gdzie ją znaleźć?

(„Śpiewamy i tańczymy", 1970)

Bardzo lubiłam pływać, uszyć sobie sukienkę, posłuchać w domu dobrej muzyki, chodzić z mężem do kina. Mówię to w czasie przeszłym, ponieważ mogłam to robić dawniej. Teraz mam syneczka, któremu wyciskam soczki, robię zupki – to też sprawia mi przyjemność, uważam bowiem, że nie jest to wygórowana cena za zdrowie i uśmiechy naszego malca. A że talenty w tej dziedzinie zaowocowały, niech świadczy czternaście kilogramów wagi i osiemdziesiąt pięć centymetrów wzrostu, które mój roczny Zbyś osiągnął.

(„Gospodyni", 1976)

Marzenia moje są „górne" i przyziemne. Marzę o świetnych piosenkach, które mogłabym wykonywać z moim zespołem. O wielu koncertach i nagraniach. Ale marzę też o... wyspaniu się, o łatwości zdobycia ciuszków dla Zbyszka. A z tym tak trudno...

(„Synkopa", 1977)

Poczucie humoru to jedna z cech charakteru, które najbardziej cenię. Życie dostarcza nam takich sytuacji, że trudno żyć bez niej.

(„Gospodyni", 1976)

Rodzina Tucholskich w komplecie,
Zakopane 1977.

O SZCZĘŚCIU

Teraz szczęściem jest moja praca. Zresztą, chyba dla każdego człowieka umiłowanie pracy powinno być jednym z najważniejszych warunków szczęścia.

Podczas choroby prawdziwym szczęściem wydawało mi się umycie podłogi...

(„Śpiewamy i tańczymy", 1970)

Człowiekowi potrzebna jest miłość bliskich, szczęście rodzinne, ale jeszcze ważniejsze, by znalazł swoje miejsce w życiu. To podstawa szczęścia.

Ważne jest nie tylko zarabianie pieniędzy i życie z dnia na dzień. To, co robimy, powinno nam sprawiać radość. Zrozumiałam to w trudnym dla mnie czasie po wypadku. Mogłam wrócić do zawodu geologa albo znaleźć inną pracę, ale całym sercem pokochałam zawód piosenkarki i dopóki moja publiczność będzie chciała mnie słuchać, dopóty z radością będę dla niej śpiewała.

(Z wywiadu dla prasy radzieckiej, 1972)

Szczęście jest dla mnie tym, co robię. To mi przynosi radość. Bo ani pieniądze – chociaż, jak wiadomo, potrzebne – ani spokój wewnętrzny, który można osiągnąć tylko przez pracę, to jeszcze niecałkowite szczęście.

Konieczne jest zdrowie, ale mogę powiedzieć szczerze, że w tej chwili jestem zupełnie szczęśliwa. Te drobne dolegliwości, które się mnie jeszcze trzymają, ustąpią z pewnością, więc na nie już nie zważam. Dużo ostatnio pracuję. Więcej nawet, niżby się wydawało, że mogę. Doszłam do wniosku, że im człowiek ma gorszy nastrój, tym trzeba więcej pracować.

(„Życie Warszawy", 1969/1970)

Każdy chce być szczęśliwy. Każdy szuka swego wielkiego albo małego szczęścia.

Myślę, że każdy z nas ma swoją gwiazdę. Może nią być miłość, praca, macierzyństwo... Tylko trzeba zrobić wszystko, żeby nie gasł jej blask.

Moja gwiazda – to piosenka.

(Z wywiadu dla prasy radzieckiej, 1979)

KALENDARIUM

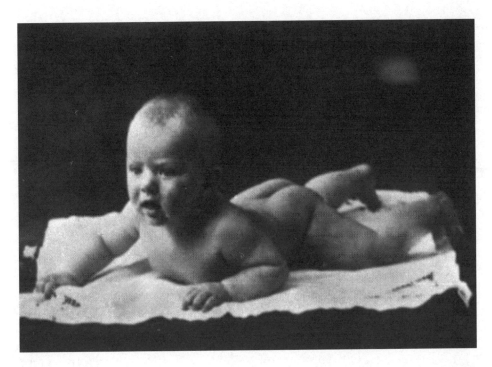

1936

- 14 lutego w Urgenczu w Uzbekistanie przychodzi na świat Anna Wiktoria German, córka Eugeniusza i Irmy z domu Martens

1937

- 25 września zostaje aresztowany ojciec Anny (rozstrzelany w 1938, rehabilitowany w 1957)

1940

- umiera brat Ani – Fryderyk (urodzony w 1938)

1946

- maj – Anna przyjeżdża do Polski razem z matką i babcią (najpierw mieszka w Szczecinie, od lipca – w Nowej Rudzie, potem – od 1949 roku – we Wrocławiu)

1946–1955

- lata nauki w Szkole Powszechnej w Nowej Rudzie, a następnie w gimnazjum i VIII Liceum Ogólnokształcącym im. Bolesława Krzywoustego we Wrocławiu

1955–1961

- studia na Wydziale Nauk Przyrodniczych Uniwersytetu Wrocławskiego

1959–1960

- debiutuje w *Podwieczorku przy Mikrofonie*
- współpracuje z teatrem studenckim Kalambur we Wrocławiu

1960

- 9 maja – debiut telewizyjny w programie Ośrodka TV Wrocław *Spotkania o zmroku*
- czerwiec – poznaje Zbigniewa Tucholskiego, swego przyszłego męża

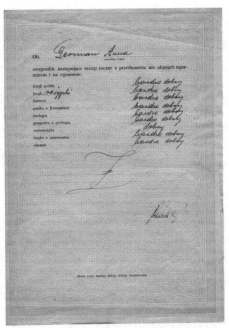

1961–1966

- współpracuje z Estradą Wrocławską, Rzeszowską i Olsztyńską

1962

- 23 stycznia uzyskuje tytuł magistra geologii
- 27 marca zdaje państwowy egzamin przed Komisją Weryfikacyjną Ministerstwa Kultury i Sztuki i otrzymuje uprawnienia do wykonywania zawodu piosenkarki

1963

- sierpień – III Międzynarodowy Festiwal Piosenki w Sopocie – II nagroda w Dniu Polskim za utwór *Tak mi z tym źle*
- październik – I Ogólnopolski Festiwal Zespołów Estradowych w Olsztynie – I nagroda za interpretację utworu *Ave Maria no morro*

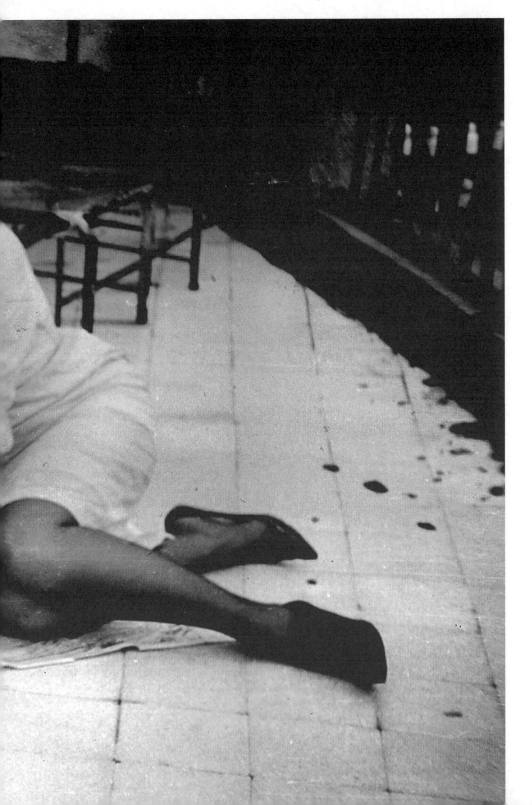

Na stypendium w Rzymie, 1964.

Festiwal w Opolu, 1965.

1964

- luty–marzec – przebywa we Włoszech na stypendium Ministerstwa Kultury i Sztuki
- czerwiec – II Krajowy Festiwal Polskiej Piosenki w Opolu – II nagroda za interpretację piosenki *Tańczące Eurydyki*
- sierpień – IV Międzynarodowy Festiwal Piosenki w Sopocie – I nagroda w Dniu Polskim i III w Dniu Międzynarodowym za *Tańczące Eurydyki*
- po raz pierwszy wyjeżdża na koncerty do ZSRR
- nagrywa pierwszą płytę *Śpiewa Anna German*, Melodia
- październik – koncertuje w NRD

1965

- czerwiec – III Krajowy Festiwal Polskiej Piosenki w Opolu – I nagroda za piosenkę *Zakwitnę różą*

- luty–marzec – tournée po Wielkiej Brytanii z Orkiestrą Polskiego Radia pod dyrekcją Stefana Rachonia
- maj – koncertuje w ZSRR
- sierpień – bierze udział w V Międzynarodowym Festiwalu Piosenki w Sopocie
- sierpień – Brązowy Żagiel za utwór *Zakwitnę różą* na festiwalu w Ostendzie w Belgii
- koncertuje w Paryżu i Monte Carlo
- nagrywa pierwszą polską płytę *Tańczące Eurydyki*, Polskie Nagrania

1966

- luty – występuje w Niemczech Zachodnich
- kwiecień – tournée po USA i Kanadzie
- lipiec – występuje w komedii muzycznej *Marynarska przygoda* w reżyserii Zofii Dybowskiej-Aleksandrowicz z muzyką Marka Sarta
- sierpień – śpiewa na VI Międzynarodowym Festiwalu Piosenki w Sopocie

Z Orkiestrą Polskiego Radia pod dyrekcją Stefana Rachonia.

Na planie filmu *Marynarska przygoda*.

- październik – Marmurowa Płyta na Międzynarodowych Targach Płyt i Wydawnictw Muzycznych MIDEM w Cannes
- listopad – podpisuje trzyletni kontrakt z włoską wytwórnią płytową CDI (Company Discografica Italiana)

1967

- 6 lutego jako pierwsza Polka występuje na XVII Festiwalu w San Remo
- otrzymuje tytuł Najpopularniejszej Piosenkarki 1966 roku wśród Polonii amerykańskiej
- nagrywa płytę *Recital piosenek*, Polskie Nagrania
- lipiec – bierze udział w XV Festiwalu Piosenki Neapolitańskiej (jako pierwsza cudzoziemka)
- nagrywa płytę *I classici della musica napoletana*, CDI
- w Viareggio otrzymuje Oskara Sympatii dla najsympatyczniejszej i najlepszej piosenkarki
- 28 sierpnia ulega wypadkowi samochodowemu na Autostradzie Słońca we Włoszech
- przebywa w Madre Fortunato Toniolo, Uniwersyteckiej Klinice Neurologicznej oraz Instytucie Ortopedycznym Rizzoli w Bolonii
- 17 października wraca do Polski

Z Janem Tyszkiewiczem, kierownikiem
Redakcji Muzycznej Radia Wolna Europa,
San Remo, luty 1967.

1967–1968

- przebywa w Szpitalu Klinicznym nr 1 przy ulicy Lindleya w Warszawie, a następnie w Ośrodku Rehabilitacyjnym STOCER w Konstancinie

1968–1969

- okres rehabilitacji i rekonwalescencji
- 26 grudnia 1969 roku występuje w telewizyjnym programie *Tele-Echo*

1970

- 17 stycznia oficjalnie powraca na estradę w koncercie *Tobie Warszawo* w Sali Kongresowej
- otrzymuje tytuł Najpopularniejszej Piosenkarki 1969 roku wśród Polonii amerykańskiej
- zostaje wybrana Najpopularniejszą Warszawianką Roku 1970 w plebiscycie Polskiego Radia i „Trybuny Mazowieckiej"
- kwiecień – w wydawnictwie Iskry ukazuje się jej wspomnieniowa książka *Wróć do Sorrento?...*
- nagrywa płytę *Człowieczy los*, Polskie Nagrania
- czerwiec – VIII Krajowy Festiwal Polskiej Piosenki w Opolu – nagroda publiczności i nagroda przewodniczącego Prezydium Miejskiej Rady Narodowej w Opolu za piosenkę *Być może*
- występuje w filmie muzycznym w reżyserii Jana Laskowskiego *Wyspy szczęśliwe*
- uczestniczy w realizacji reportażu Mariusza Waltera *Powrót Eurydyki*
- sierpień – śpiewa w Koncercie Jubileuszowym X Międzynarodowego Festiwalu Piosenki w Sopocie
- wrzesień – przeprowadza się do Warszawy (razem z matką i babcią)
- gra epizodyczną rolę w filmie Andrzeja Wajdy *Krajobraz po bitwie*

1971

- czerwiec – IX Krajowy Festiwal Polskiej Piosenki w Opolu – nagroda publiczności za piosenkę *Cztery karty*
- 17 września umiera Anna Martens – ukochana babcia Anny

1972

- 23 marca w USC w Zakopanem zawiera związek małżeński ze Zbigniewem Tucholskim
- maj – w czasie recitali w Teatrze Wielkim w Warszawie otrzymuje Złotą Płytę za longplay *Człowieczy los* oraz Srebrny Gwóźdź Sezonu przyznany przez czytelników „Kuriera Polskiego"
- nagrywa płytę *Wiatr mieszka w dzikich topolach*, Polskie Nagrania
- realizuje recital telewizyjny *Piosenki morskie*
- czerwiec – śpiewa w Koncercie Przyjaźni podczas VIII Festiwalu Piosenki Radzieckiej w Zielonej Górze
- nagrywa płytę z ariami Domenico Scarlattiego *Tetyda na wyspie Skyros*, Polskie Nagrania
- czerwiec – bierze udział w X Krajowym Festiwalu Polskiej Piosenki w Opolu
- lipiec – występuje na VI Festiwalu Piosenki Żołnierskiej w Kołobrzegu
- lipiec–sierpień – tournée po ZSRR
- nagrywa płytę *Anna German*, Melodia
- 30 września – bierze udział w koncercie w paryskiej Olimpii
- grudzień – występuje w ZSRR

TÉLÉGRAMME

CONCERT-GALA POLONAIS

Le 30 septembre 1972, à 24 heures

à l'Olympia avec la participation de :

Ewa Demarczyk et son Ensemble

Anna German

Halina Kunicka

Ewa Krasnodębska

Ewa Osińska-Mitko

Maryla Pawłowska

Urszula Sipińska

Bolesław Gromnicki

Bernard Ładysz

Stanisława Ptak

Tomaszewski-Kisielewski — duo de pianiste

Janusz Rzeszewski — realisateur

R. Czubaty et A. Płączyński — accompagnateurs

Quintet « Ptaki » et l'Ensemble Musical

Les billets aux caisses de l'Olympia
Tél. 742.82-45

1973

- styczeń–luty – tournée po USA i Kanadzie z *Podwieczorkiem przy Mikrofonie*
- czerwiec – występuje w Koncercie Przyjaźni IX Festiwalu Piosenki Radzieckiej w Zielonej Górze
- czerwiec – bierze udział w XI Krajowym Festiwalu Polskiej Piosenki w Opolu
- listopad – realizuje recital telewizyjny *Spotkanie z Anną German*

1974

- kwiecień – występuje w ZSRR z okazji Dni Kultury Polskiej
- realizuje recital telewizyjny *Dwie Anny*
- czerwiec – bierze udział w Koncercie Przyjaźni podczas X Festiwalu Piosenki Radzieckiej w Zielonej Górze
- nagrywa płytę *To chyba maj*, Polskie Nagrania
- w Polskim Wydawnictwie Muzycznym ukazuje się krótka biografia pióra Jana Nagrabieckiego *Anna German*

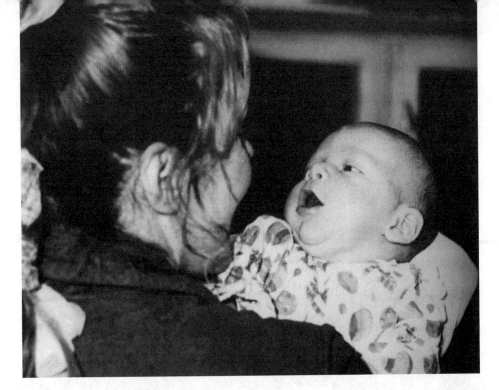

1975

- czerwiec – występuje w Koncercie Przyjaźni XI Festiwalu Piosenki Radzieckiej w Zielonej Górze
- sierpień – recitale w ZSRR
- 27 listopada rodzi syna – Zbigniewa Ivarra

1976

- wrzesień – występuje w Sofii z *Podwieczorkiem przy Mikrofonie*
- śpiewa w Lizbonie z okazji Dni Kultury Polskiej

1977

- kwiecień – występuje w Moskwie

1978

- śpiewa recitale w warszawskim Teatrze na Targówku
- nagrywa płytę *Anna German*, Polskie Nagrania
- czerwiec – występuje na XIV Festiwalu Piosenki Radzieckiej w Zielonej Górze

- lipiec – bierze udział w XII Festiwalu Piosenki Żołnierskiej w Kołobrzegu
- sierpień – recitale w ZSRR
- nagrywa płytę *Anna German*, Melodia

1979

- kwiecień–maj – recitale w ZSRR
- lipiec – XIII Festiwal Piosenki Żołnierskiej w Kołobrzegu – Złoty Pierścień i nagroda ministra obrony narodowej za interpretację piosenki *O czym Bałtyk opowiada*
- jesień – tournée po USA i Kanadzie
- jesień – występy w ZSRR

W Australii, 1980.

1980

- styczeń – tournée po ZSRR
- nagrywa płytę *Anna German*, Melodia
- śpiewa recitale w warszawskim Teatrze Żydowskim
- wrzesień–październik – występuje w Australii
- 5 października występuje przed publicznością po raz ostatni (w Melbourne w Australii)

1982

- 21 maja przyjmuje chrzest według obrządku Kościoła Adwentystów Dnia Siódmego
- 25 sierpnia Anna German umiera w wieku 46 lat
- 30 sierpnia zostaje pochowana na Cmentarzu Ewangelicko-Reformowanym w Warszawie

ŹRÓDŁA TEKSTÓW

WYWIADY

- *Anna German: „A może jednak pamiętasz?...".* Rozmawiał Z. Kiszakiewicz, „Panorama" 1972, nr 27.
- *Anna German: „Na tę chwilę czekam...".* Rozmawiała A. Polak, „Panorama" 1979, nr 2.
- *Anna German: „Od kiedy pamiętam, zawsze śpiewałam".* Rozmawiał W. Chołodowski, „Scena" 1970, nr 7/8.
- *Anna German: Pocztówka z Włoch: Na temat festiwali,* „Życie Warszawy" 1967, nr 193.
- *Anna German: „Ten wywiad – jak spowiedź".* Rozmawiał A. Paju [w:] I. Ilicziow, *Anna German.*
- *Świeć, gwiazdo moja...,* tł. z ros. I. Nieluchina, Moskwa 2010, s. 203, 209–210, 212.
- *Anna German: „W Moskwie czuję się jak w domu...".* Rozmawiała M. Istiuszyna, [1978], tł. z ros. M. Pryzwan [w:] A. German., *Wróć do Sorrento?...,* tł. na ros. R. Biełło, Moskwa 1985, s. 117–118.
- *Anna German w „Niedielie".* Rozmawiał A. Żygariow, tł. z ros. M. Pryzwan, „Niediela" 1972, nr 32.
- *Anna German: „W tej piosence będzie ci do twarzy",* „Sztandar Młodych" 1979, nr 225.
- *Anna German wraca do zdrowia,* „Słowo Powszechne" 1967, nr 279.
- *Anna German: „Wracam do śpiewania".* Rozmawiała E. Solińska, „Sztandar Młodych" 1979, nr 24.
- *Anna German: „Zawsze lubiłam śpiewać".* Rozmawiała K. Sygnowska, „Gospodyni" 1976, nr 51/52.
- *Czerwona Mina. Atak na San Remo.* Rozmawiał A. Berlendis, tł. z wł. A. Dąbrowska, „Gente"[XI 1966].
- *Drugi debiut. („Życie" rozmawia z Anną German).* Rozmawiał A. Wróblewski, „Życie Warszawy" 1969/1970, nr 311/312.
- *Dzień dobry! Rozmowa z Anną German,* tł. z ros. M. Pryzwan, „Uczitielskaja gazieta", 3.01.1980.
- *Geologiczne pochodzenie piosenki: Anna German o sobie,* „Jazz" 1964, nr 6.
- A. German, *Wróć do Sorrento?...,* Warszawa 1970, s. 81, 122–123.
- *„Ja się nie smucę". Powrót Anny German,* „Życie Warszawy" 1969, nr 119.
- *Jaka radość śpiewać. Rozmowa z Anną German.* Rozmawiała B. Zaliwska, „Panorama" 1975, nr 14.
- *Kiermasz pod kogutkiem,* audycja T. Łozińskiej, Polskie Radio, emisja 1.11.1982 (nagranie z 1978 roku), Archiwum Polskiego Radia S.A.
- *Lato 1974.* Rozmawiała L. Spadoni, tł. z ros. M. Pryzwan [w:] A. German, *Wróć do Sorrento?...,* tł. na ros. R. Biełło, Moskwa 1985, s. 109–111.

- *Lato 1975*. Rozmawiała L. Spadoni, tł. z ros. M. Pryzwan [w:] A. German, *Wróć do Sorrento?...,* tł. na ros. R. Biełło, Moskwa 1985, s. 111–112.

- *Lipiec 1972*. Rozmawiała L. Spadoni, tł. z ros. M. Pryzwan [w:] A. German, *Wróć do Sorrento?...,* tł. na ros. R. Biełło, Moskwa 1985, s. 105–108.

- *List, na który czekacie: Pisze Anna German*, „Panorama" 1968, nr 13.

- *Nadzieja*. Rozmawiał I. Okuniew, 1980, tł. z ros. M. Pryzwan, „Stroitielnaja gazieta", 8.03.1980.

- *Nasze rozmowy: z Anną German*. Rozmawiała A. Polak, „Synkopa" 1977, nr 56.

- *Nasze wywiady: z Anną German*. Rozmawiała A. Polak, „Synkopa" 1979, nr 68.

- *Nasze wywiady: z Anną German*. Rozmawiała A. Wielgoławska, „Synkopa" 1970, nr 15.

- *Panorama muzyki i piosenki*, „Panorama" 1968, nr 39.

- *Pasja życia – pasja śpiewania*. Rozmawiał E. Melech, „Zorza" 1980, nr 4.

- *Piosenkarze polecają piosenki: Anna German*, „Itd" 1966, nr 39.

- *Podwieczorek przy Mikrofonie*, audycja J. Baranowskiego, Polskie Radio, 27.01.1971, Archiwum Polskiego Radia S.A.

- *Powrót Eurydyki*. Rozmawiał L. Sidorowski, 1970, tł. z ros. M. Pryzwan [w:] A. German, *Wróć do Sorrento?...,* tł. na ros. R. Biełło, Moskwa 1985, s. 102–104.

- *Przy pół czarnej z Anną German*. Rozmawiała M. Tygielska, „Radio i Telewizja" 1966, nr 6.

- *Rozmawiamy z Anną German*. Rozmawiała M. Tygielska, „Radio i Telewizja" 1968, nr 22.

- M. Slaska, *Anny powrót prawdziwy*, „Śpiewamy i tańczymy" 1970, nr 4.

- *Spotkania*, audycja A. Dąbkowskiego i Z. Gładyszewskiej, Polskie Radio, 5.01.1979, Archiwum Polskiego Radia S.A.

- *„Szalupa" z Ostendy dla Anny German*, „Kurier Polski" 1965, nr 200.

- *Sztuka rodzicielskiej miłości*, oprac. Z. Dąbrowska-Caban, Warszawa 1979, s. 29–30.

- *31 grudnia 1979*. Rozmawiała L. Spadoni, tł. z ros. M. Pryzwan [w:] A. German, *Wróć do Sorrento?...,* tł. na ros. R. Biełło, Moskwa 1985, s. 113–116.

- *W kręgu spraw rodzinnych: Gdy myślę o matce*, audycja W. Marczyka, Polskie Radio, 11.05.1978, Archiwum Polskiego Radia S.A.

- *Warszawski Tygodnik Dźwiękowy*, audycja L. Janowicza, Polskie Radio, 7.03.1970, Archiwum Polskiego Radia S.A.

- *Wizerunki ludzi myślących: Marian Weiss*, audycja J. Mikke, Polskie Radio, 31.01.1971, Archiwum Polskiego Radia S.A.

- *Wyspy szczęśliwe*. Rozmawiała W. Czapińska, „Ekran" 1970, nr 35.

- *Z wizytą u Anny German*. Rozmawiała A. Idzikowska, „Stolica" 1970, nr 8.

- *Znowu z piosenką w świat*. Rozmawiał Z. Kiszakiewicz, „Panorama" 1971, nr 21.

- *Żyć i śpiewać*. Rozmawiał A. Sowa, „Zarzewie" 1973, nr 48.

KORESPONDENCJA

- Anna German, *List do Marka Sewena*, Warszawa, 1.07.1965, archiwum adresata.
- Anna German, *Listy do Jana S. Skąpskiego*, Wrocław, 12.10.1960, Wrocław, 17.10.1960, Rzeszów, 28.12.1960, archiwum adresata.
- Anna German, *Listy do Piotra Wojciechowskiego*, Raciborowice, 20.08.1958, Wrocław, 1958, archiwum adresata.
- Anna German, *Z listów do Anny Kaczaliny*, „Przyjaźń" 1983, nr 20.
- Anna German, *Z listów do Jana Nagrabieckiego* [w:] J. Nagrabiecki, *Anna German*, Warszawa 1974, s. 12–13; A. German, *Wróć do Sorrento?...*, Zielona Góra 2002, s. 102–105, 108.
- Anna German, *Z listów do matki i babci*, Toronto, 21.06.1965, Chicago, 1965, Warszawa, 1969, Warszawa, 1970, Kraków, 14.02.1972, Zakopane, 1972, Piatigorsk, 1978, archiwum M. Pryzwan.
- Anna German: *Z listów do Zbigniewa Tucholskiego* [w:] A. German, *Wróć do Sorrento?...*, Zielona Góra 2002, s. 102–103.

INDEKS OSÓB

V

W

SPIS ILUSTRACJI

Z archiwum domowego Marioli Pryzwan fot. 2, 4, 5, 7, 12, 15, 16, 18, 26, 28–32, 34, 36, 39–41, 43, 45, 46, 50, 60–63, 66–68, 70, 71, 78, 80, 85, 92, 96, 97, 107–111, 116, 120, 121, 123, 124, 128, 129, 131, 132, 137, 138, 148, 151, 155, 160, 161.

Ze zbiorów Archiwum Uniwersytetu Wrocławskiego, fot. 8, 9.

Z archiwum domowego Piotra Wojciechowskiego fot. 19, 20.

Z archiwum domowego Jana S. Skąpskiego fot. 22, 23, 25.

Ze zbiorów Biblioteki Publicznej m.st. Warszawy – Biblioteki Głównej Województwa Mazowieckiego fot. 35, 44, 47, 64, 72–77, 81, 83, 84, 86, 136, 139.

Z archiwum domowego Marka A. Karewicza fot. 37, 102, 152.

Z archiwum domowego Marka Sewena fot. 42, 113.

Z archiwum Mazowieckiego Centrum Rehabilitacji „STOCER" w Konstancinie fot. 69.

Z archiwum domowego Iwana Iliczowa fot. 87, 88, 99, 105.

Z archiwum domowego Mieczysława Kobylarza fot. 82.

Z archiwum Urzędu Stanu Cywilnego w Zakopanem fot. 95.

Z archiwum domowego Bolesława Szulii fot. 106.

Z archiwum domowego Iriny Nieluchiny fot. 115, 143.

Z archiwum domowego Andrzeja Płonczyńskiego fot. 117, 125.

Z archiwum domowego Miriam Aleksandrowicz fot. 154.

Z archiwum domowego Jana Tyszkiewicza fot. 157.

Pozostałe fotografie i dokumenty pochodzą z archiwum domowego Zbigniewa Tucholskiego.

Autorka i Wydawca serdecznie dziękują za udostępnienie materiałów ikonograficznych.

SPIS TREŚCI